G마켓 앞지르기

인터넷 쇼핑몰 성공전략

강완규 지음

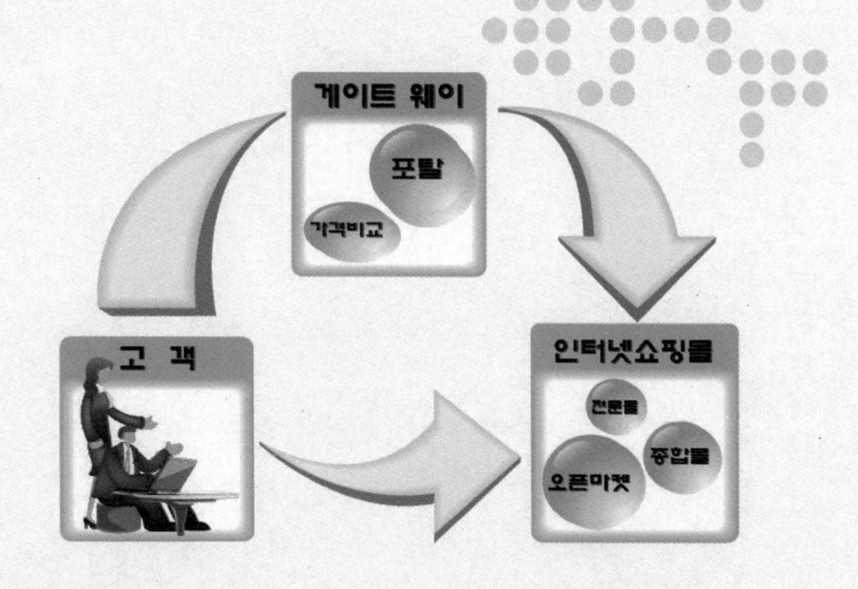

21세기사

머 리 말

G마켓 처럼 인터넷 쇼핑몰 사업을 성공시키려면 어떻게 해야 하는 것일까?

인터넷 쇼핑몰 사업의 역량 강화 업무 경험을 토대로 필자는 쇼핑몰 사업 경영의 핵심은 방문자 확대와 구매 전환율 제고의 2가지 축으로 압축하고 싶다.

• 인터넷 쇼핑몰 사업의 성공 요소와 전략

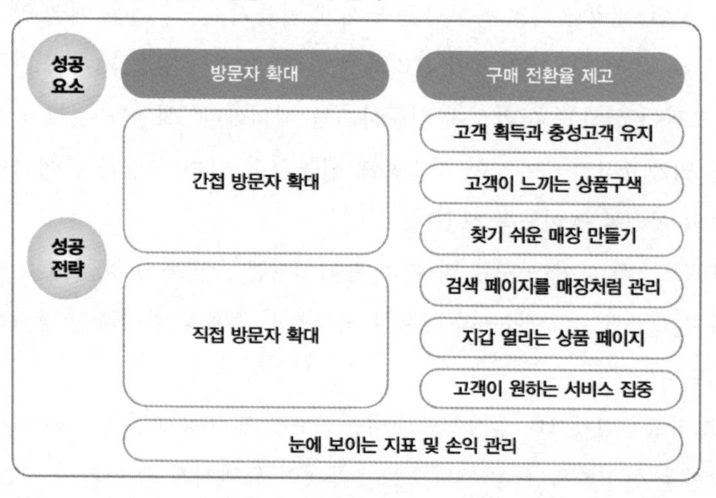

즉 쇼핑몰 사업에서 성공하기 위해서는 쇼핑몰에 많은 방문자를 오게 만들고, 방문한 사람들이 구매를 하게 만드는 역량을 가지고 있어야 한다.

그러나 이것은 말처럼 쉽지 않다. 실제로 인터넷 쇼핑몰을 경영하는 많은 사람들이 고민하고 있는 문제이며, 필자도 고민해 왔던 문제이다. 지난 8년 동안 인터넷 쇼핑사업의 역량 강화 전략 수립 업무와

머 리 말

인터넷 마케팅, 제휴 마케팅, 상품 영업 및 고객 서비스 개발 실무를 하면서 터득한 노하우를 종합하여, 필자는 방문자 확대와 구매 전환율 제고의 두 가지 측면에서 인터넷 쇼핑몰을 성공시키기 위한 전략을 제시하고자 한다.

방문자 확대 측면에서는 간접 방문자 확대 및 직접 방문자 확대 마케팅 방법을 제시한다.

구매 전환율 제고 측면에서는 고객을 획득해서 충성고객으로 유지하는 방법, 상품구색의 풍부함을 느끼게 만들기, 찾기 쉬운 매장 만들기, 검색 페이지를 매장처럼 관리하기, 지갑 열리는 상품 페이지 만들기, 고객이 원하는 서비스에 집중하기를 제시한다. 설명 과정에서 쇼핑몰 업계 1위인 G마켓이 치밀하게 활동하고 있는 사례를 분석하여 독자의 이해를 높이도록 하였다.

또한 눈에 보이는 지표 및 손익 관리에서는 쇼핑몰의 성공 요소 및 전략 실행력을 강화하는 데 필요한 의사결정 정보를 관리하는 방법을 제시한다.

그리고 G마켓 5대 성장전략에서는 G마켓 전략의 종합적 이해와 진화방향을 설명하였다. 마지막으로 G마켓이 고객에게 더 다가갈 수 있는 아이디어를 미니 컨설팅 형태로 조심스럽게 제안하여, G마켓을 앞지를 수 있는 가능성을 열어 두었다.

이 책은 인터넷 쇼핑 산업의 경쟁력을 높이는데 관심을 가진 사람들에게 도움을 주기 위한 것이며, 특히 이러한 분들에게 도움이 되길 바란다.

인터넷 쇼핑몰 산업에 대해 포괄적 이해를 하고자 하는 분에게 권한다. 오픈마켓, 종합몰, 전문몰로 형성된 인터넷 쇼핑산업의 전체 구도, 사업 모델간 고객에게 제공하는 가치의 차이, 쇼핑몰 운영에서 관리해야 하는 지표, 변동비와 고정비를 절감할 수 있는 손익 관리 방법을 이해하는데 도움이 된다.

쇼핑몰의 고객 획득과 유지에 대한 인터넷 마케팅 방법을 이해하고자 하는 마케터에게 권한다. 방문자를 확보하는 방법, 방문자를 구매고객으로 전환 시키기는 방법, 충성고객으로 유지하는 방법, 고객 관리 지표에 의한 자원투입 방법 등을 이해하는데 도움이 된다.

또한 G마켓의 마케팅과 사업전략 파악을 통해 G마켓 앞지르기를 원하는 분에게 권한다. 고객획득을 위한 키워드 운영 방법, 통합검색 페이지를 통해 단골고객을 만들어 가는 방법 등 치밀하게 움직이는 G마켓의 마케팅 활동을 이해할 수 있다. G마켓의 성장성 및 수익성 확대 사업전략과 진화방향을 이해하는데 도움이 된다.

필자가 쇼핑몰 업무를 하면서 가장 기억에 남는 것이 그렇게 높아 보였던 삼성몰을 앞질렀던 순간이다. 고객이 원하는 것을 해결해주는 끊임 없는 실천이 1등 쇼핑몰이 될 수 있는 유일 한 길이다.

이 책이 나오기 까지 인터넷 쇼핑 사업 업무를 하게 해주신 허태수 사장님, 함께 일하며 가르침을 준 동료 선배님들께 감사 드린다. 항상 용기를 주시는 부모님, 아내와 아이들, 그리고 하나님께 영광을 돌린다.

지은이 강완지

차 례

차 례

차 례

차 례

제 1 부

인터넷 쇼핑몰 산업의 경쟁구조를 이해하라

포인트

- 인터넷 쇼핑몰 산업 18조 시장에서 오픈마켓, 종합몰, 전문몰이 경쟁하고 협력하는 구조를 이해한다.
- 사업모델별 고객에게 제공하는 핵심 가치의 차이를 이해한다.
- 방문자 확대, 구매 전환율 제고를 달성하기 위한 성공전략의 프레임을 이해한다.

제 1 부 인터넷 쇼핑몰 산업의 경쟁구조를 이해하라

01 쇼핑몰간 경쟁 다이나믹스를 이해하라

02 사업모델간 고객에게 제공하는 핵심 가치의 차이를 이해하라

03 선도 쇼핑몰은 항상 바뀔 수 있다

04 선도 쇼핑몰로 가는 성공 전략을 이해하라

01

쇼핑몰간 경쟁 다이나믹스를 이해하라

고객에게 상품을 팔기 위해 네이버 지식쇼핑에 입점한 쇼핑몰이 약 7,800개가 넘는다. 쇼핑몰 산업은 신규 사업자가 쉽게 시장에 뛰어 들 수 있고, 고객은 구매하는 쇼핑몰을 쉽게 바꿀 수 있는 특징을 가지고 있다. 진입장벽이 낮고, 고객을 유지하기 힘든 쇼핑몰 산업에서 경쟁자보다 우월한 성과를 내기 위해서는 고객과 사업자들이 시장에서 움직이는 구조에 대한 이해가 머리 속에 밑그림으로 자리 잡고 있어야 한다.

쇼핑몰 산업의 시장 구조

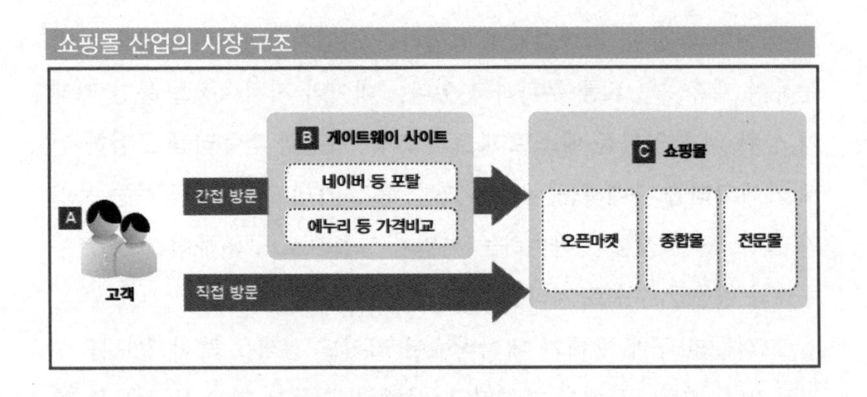

시장구조의 이해는 A 쇼핑몰을 이용하는 고객, B 쇼핑몰로 방문자를 몰아 주는 게이트 웨이 사이트, C 쇼핑몰로 나누어서 해 볼 수 있다. 우선 A 고객은 인터넷 쇼핑을 할 때 어떤 가치를 소중하게 생각하는 것일까? 쇼핑몰을 믿을 수 있어서, 상품비교가 쉬워서, 가격이 저렴해서, 원하는 상품이 있어서, 반품 서비스가 좋기 때문에 등 다양한 가치를 최적으로 제공해 주는 쇼핑몰을 선택한다.

고객이 쇼핑몰에 방문하는 방법은 크게 2가지가 있다. 첫번째 방법은 네이버 등 포탈, 에누리 등 가격비교를 통해 쇼핑몰에 간접적으로 방문하는 경우이다. 고객은 쇼핑몰 방문 전에 구매 결정에 필요한 상품 정보, 가격비교 정보, 상품평 등을 수집하기 위해 이러한 게이트 웨이 사이트를 이용한다. 쇼핑몰 사업자의 변동비 항목에는 '제휴 수수료'라는 계정과목이 있는데, 이것이 방문자를 몰아주는 게이트 웨이 사이트에게 지급하는 비용이다. 제휴 수수료는 통상 쇼핑몰 거래액의 1~4% 비중을 차지하며, 거래액과 연동되지 않는 고정급, 거래액과 연동되는 변동급, 고정급 + 변동급의 혼합형 등 계약형태에 따라 다양하다.

네이버의 경우, 지식쇼핑에 입점하는 사업자를 4개의 그룹으로 구분하여 제휴 수수료를 부과하고 있다. 네이버 지식쇼핑을 통한 거래액 상위 14개 업자를 베스트 파트너 그룹, 가전과 컴퓨터를 포함한 전체 카테고리를 판매하는 사업자 그룹, 특정 카테고리만 취급하는 사업자 그룹, 면세 상품만 판매하는 사업자 그룹으로 구분하여 고정급 수수료와 변동급 수수료 계약을 하고 있다.

고객들의 구매 행태가 네이버에서 키워드 검색을 하여 정보를 수집하거나, 지식쇼핑에서 가격비교, 상품평, 전문가 리뷰 등 정보를 파악한 후에 쇼핑몰로 방문한다. 네이버는 쇼핑에 필요한 유익한 정보를 방문자에게 제공함으로서 지속적으로 정보탐색을 위해 네이버를 경유할 수 있도록 키워드 검색 기능, 가격비교 기능과 지식쇼핑 운영방법을 진화시키고 있다.

특히 네이버는 가격비교 기능을 강화하여, 에누리 등 전문 가격비교 사이트로 가는 방문자를 네이버로 유인하고 있다. 네이버는 기존에 보유하고 있는 지식인, 전문가 리뷰 등 다양한 쇼핑정보와 가격비교 정보를 결합시켜 네이버로의 방문자가 더 많이 모일 수 있도록 하고 있다.

네이버의 가격비교 정보와 쇼핑정보 제공

예를 들어, 니콘 D80을 구매하려는 고객은 네이버에서 ❶ 가격비교 정보, ❷ 전문가 리뷰 정보, ❸ 사용자 체험 정보를 한꺼번에 얻을 수 있다. 네이버의 이런 활동은 가격비교 전문 사이트에게는 매우 위협적인 것이다.

두번째 방법은 고객이 쇼핑몰로 직접 방문하는 경우이다. 직접 방문하면 쇼핑몰 사업자 입장에서는 제휴 수수료가 발생하지 않는다. 쇼핑몰은 직접 방문을 촉진하기 위해 즐겨찾기, 쇼핑몰 툴바 설치, 쇼핑몰 바로가기 아이콘, 상품 이미지 바탕화면 저장하기 등 다양한 기능

개발을 하고 있다. 또한 쇼핑몰은 게이트 웨이를 통해 간접 방문으로 회원가입을 하거나 쇼핑을 한 고객 대상으로 직접방문을 권유하고, 직접 방문한 고객만 구매할 수 있는 특혜 매장을 운영 하는 등 인센티브를 주는 마케팅 활동을 추진하고 있다.

B 쇼핑몰이 게이트 웨이 사이트를 효율적으로 활용하기 위한 방법은 무엇인가? 쇼핑몰은 방문자 의존도가 높은 포탈, 가격비교 사이트를 중점적으로 관리해야 한다. G마켓의 경우를 보면, 네이버, 에누리를 거쳐 들어오는 간접 방문자가 많음을 알 수 있다. 네이버는 포탈에서 1위 사업자, 에누리는 가격비교에서 1위 사업자이기 때문에 대부

G마켓의 게이트 웨이 사이트별 간접방문 의존도

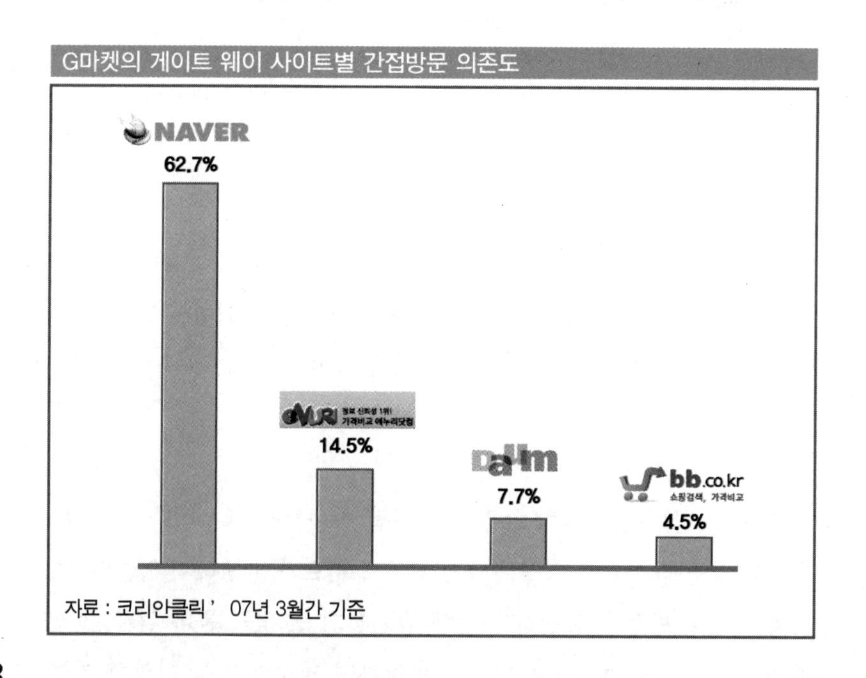

자료 : 코리안클릭 ' 07년 3월간 기준

분 쇼핑몰의 간접 방문자 의존도가 높다. 실무에서 업무 우선 순위는 항상 네이버와 에누리 먼저 관리하여 효율성을 높여야 한다.

C 쇼핑몰 산업의 규모와 사업모델은 어떻게 나눌 수 있는가? 쇼핑몰 산업은 2008년에 약 18조원으로 우리나라 유통규모의 약 10% 비중이며, 2009년에는 약 20조원 규모로 성장할 전망이다.

인터넷 쇼핑몰 산업 규모

(단위:조원, %)

	2007년		2008년(F)		2009년(F)	
	매출액	성장률	매출액	성장률	매출액	성장률
소매업 전체	162.6	5.6	170.0	4.6	173.3	1.9
백화점	18.9	3.2	19.9	4.9	20.3	2.0
대형마크	28.9	9.8	29.8	5.6	30.7	3.1
수퍼	11.8	4.7	12.5	6.2	13.2	5.0
편의점	4.6	11.0	5.4	15.3	6.0	11.6
인터넷 쇼핑몰	15.8	17.1	18.4	16.9	20.8	13.1
TV 홈쇼핑	3.5	−3.8	3.6	3.2	3.6	1.3
기타 재래시장	79.7	3.1	80.5	0.9	78.7	−2.2

자료 : 롯데유통산업 연구소, 2009년 소매 유통 전망

쇼핑몰 사업모델은 고객에게 제공하는 핵심 가치의 차이와 취급하는 카테고리 범위를 기준으로 오픈마켓, 종합몰, 전문몰의 3가지 유형으로 구분할 수 있다. 오픈마켓은 G마켓, 옥션, 11번가가 주요 사업자

이다. 종합몰은 백화점 계열의 롯데닷컴, H몰, 홈쇼핑 계열의 GS이숍, CJ몰이 주요 사업자이다. 전문몰은 도서 전문몰 YES 24, 해외 구매대행 전문몰 위즈위드 등 카테고리 킬러형 전문 사업자가 있다.

쇼핑몰 사업자간 경쟁 다이나믹스

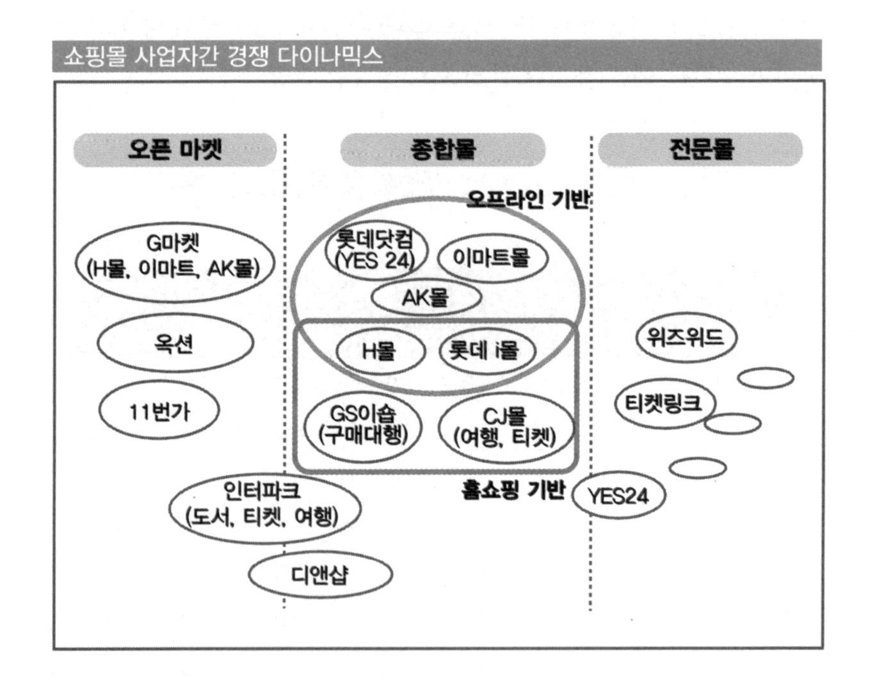

사업모델간 경쟁도 하지만, 상호 필요에 의해 입점 제휴를 하는 다이나믹스를 보이고 있다. G마켓에는 현대홈쇼핑의 H몰, 이마트몰, 과거 삼성몰이었던 애경백화점의 AK몰 등 종합몰이 입점되어 있다. 이렇게 함으로써 G마켓은 신뢰할 수 있는 종합몰 상품을 대량 확보할 수 있으며, 입점한 종합몰은 G마켓 방문자들에게 브랜드와 상품을 알릴 수 있다.

롯데닷컴은 롯데백화점 본점 상품으로 차별화 하고 있으며, YES 24를 링커방식으로 제휴하여 운영하고 있다. TV 홈쇼핑을 기반으로 하는 GS이숍, CJ몰은 해외 구매대행, 티켓, 여행 등 전문몰 영역으로 사업을 확장하여 성장의 기회를 모색하고 있다. 종합몰의 주요 특징은 오프라인의 할인점, 백화점 또는 TV 홈쇼핑과 같이 기존 사업의 상품 소싱 기반이 받쳐주는 구조하에 사업이 운영된다는 점이다.

종합몰에서 오픈마켓으로 사업모델을 전환한 인터파크는 도서몰, 티켓몰, 여행몰을 오픈마켓내 독자적인 몰로 운영하는 하이브리드 형태를 취하고 있다.

디앤샵은 종합몰과 오픈마켓의 운영 방법을 혼합하여 운영하고 있으며, GS홈쇼핑에 인수된 이후 GS이숍과 방문자간 상호 시너지를 내고 있다.

도서 전문몰 YES 24는 문화포탈을 지향하며, 도서, 전자도서, DVD, 화장품, 티켓 등 카테고리를 확대하고 있다. YES 24, 위즈위드 전문몰은 종합몰에 링크방식인 Mall to mall로 입점하여 지속적으로 신규고객 기반을 확대하는 전략을 구사하고 있다.

오픈마켓, 종합몰, 전문몰 사업자들은 같은 모델 내에서는 상품과 서비스의 치열한 경쟁을 하고 있다. 또한 다른 모델의 강점을 접목하기 위한 노력도 하고 있다. 예를 들면, 오픈마켓은 낮은 신뢰성을 보완하기 위해 배송 및 반품 서비스가 우수한 판매자에게는 '서비스 우수'

라는 아이콘을 제공한다. 종합몰은 선별된 상품 공급자에게는 오픈마켓의 미니샵 형태인 독립매장 제공 등의 자율권을 늘려주고 있다.

옥션을 인수한 미국 이베이가 2009년 4월에 G마켓도 인수하였다. 즉 옥션과 G마켓이 같은 이베이 자회사가 되어 버린 것이다. 향후 쇼핑몰 산업의 경쟁 구조에 큰 변화가 생길 것이다. 옥션과 G마켓이 상호 무리한 가격 경쟁은 하지 않을 것이다. G마켓을 매각한 인터파크는 확보한 현금을 어떤 사업영역에 투자할 것인지, 11번가는 어떠한 대응전략을 펴 나갈 것인지에 따라 쇼핑몰 산업에 또 한번의 지각변동이 예상된다.

02 사업모델간 고객에게 제공하는 핵심 가치의 차이를 이해하라

쇼핑몰 산업에 속해 있는 사업모델은 크게 오픈 마켓, 종합몰, 전문몰 3개 이다.

사업모델의 특성 비교 그림을 보면, 오픈 마켓은 마켓 플레이스라고도 하며, G마켓이 대표 사업자이다. 고객에게 제공하는 핵심가치는 저렴한 가격, 다양한 상품 구색이다. 사업 모델은 판매자와 구매자 간에 자유롭게 거래할 수 있도록 해주는 플랫폼 사업이다. 사업모델의 특성은 하나의 상품을 다수의 판매자들이 다른 가격으로 판매하는 One Product, Multi Seller로서, 판매자간 상품 가격과 서비스에 대해 자율 경쟁한다. 구매자가 쇼핑경험을 통해 판매자의 상품 품질과 배송 서비스 만족도를 평가하고, 그 결과를 공개함으로서 고객을 만족시키는 역량이 높은 판매자가 더 잘 될 수 있는 구조로 움직이게 되어 있다.

오픈 마켓의 수익원은 상품 거래 수수료와 상품 등록 수수료, 키워드 및 배너에 의한 광고 수수료가 있다. 오픈 마켓의 방문자가 많아 짐에 따라 오버추어의 링크 광고 등 광고 수수료 수익 비중이 높아 지고 있다. 주요 조직기능은 상품을 판매하는 판매자에게 새로운 소분류 매장 노출 제안, 키워드 제안 등 판매자의 영업활동을 촉진하는 판매자 활성화(Seller Activation) 기능이 있다. 방문자를 늘려 나가고, 방문자를 구매하게 만들어 신규고객을 획득하고 충성고객으로 유지시키는 구매자 활성화 (Buyer Activation) 기능이 있다. 몰 기획 기능은 판매자와 구매자가 보다 편안하게 쇼핑몰에서 활동 할 수 있도록 몰의 편의성을 개선하는 역할을 한다.

오픈 마켓의 진화 방향은 패션에서 식품, 영화와 같은 컨텐츠 상품 등 카테고리를 지속적으로 확대해 나가며, 쇼핑 리뷰, 쇼핑 블로그 운영 등 쇼핑 정보 강화를 통해 쇼핑 포탈로 성장 방향을 잡고 있다.

사업모델의 비교

구분	오픈 마켓	종합몰
대표사업자	•G마켓, 옥션	•롯데닷컴, GS이숍
고객에게 제공하는 핵심가치	•가격 •구색	•품질 신뢰 •사후 서비스 신뢰
사업 모델	•판매자, 구매자간 자유롭게 거래할 수 있도록 해주는 플랫폼 사업	•상품 공급자를 선별하여 종합몰의 책임으로 구매자에게 상품을 제공하는 사업
사업모델 특성	•One Pruduct, Multi Seller •판매자간 자율 경쟁 •구매자가 판매자 평가 및 결과 공개	•One Product, One Price •구매자가 상품에 대해 평가 및 결과 공개
수익원	•상품 거래 수수료 •상품 등록 수수료 •키워드, 배너 등 광고 수수료	•상품 거래 수수료 •보험상품 판매 대행 수수료
주요 조직 기능	•Seller Activation. •Buyer Activation •몰 기획	•MD •마케팅 •몰 기획
진화 방향	•상품 카테고리 확대 및 쇼핑 정보 강화를 통한 쇼핑 포탈로 진화	•기존 사업의 상품 판매 및 서비스 품질강화를 통한 멀티 쇼핑채널의 플랫폼으로 진화

종합몰은 오프라인 백화점과 사업운영 방식이 비슷하다. 대표 사업자로는 백화점 계열의 롯데닷컴, 홈쇼핑 계열의 GS 이숍이 있다. 고객에게 제공하는 핵심가치는 자체 상품 품질 검사 기능에 의한 품질 신뢰, 배송 이후의 반품, AS 등 사후 서비스에 대한 신뢰감 제공이다.

사업모델은 상품 품질과 사후 서비스 관리 능력이 있는 상품 공급자를 선별하여 종합몰의 책임으로 구매자에게 상품을 제공하는 사업이다. 사업모델의 특성은 하나의 상품은 하나의 공급자만 있는 One Product, One Price 이다. 구매자는 구매한 상품의 쇼핑경험에 대해 평가하고, 상품에 대한 쇼핑 만족도가 점수로 공개되는 경우가 많다.

종합몰의 수익원은 상품 거래에 의한 수수료와 약간의 광고 수입이 있다. 최근에는 보험상품의 판매를 통해 보험회사로부터 수수료 수입이 발생하고 있다. 종합몰 입장에서는 보험몰을 신규 카테고리로 육성하여 새로운 수익원으로 육성하는데 관심을 가지고 있다.

주요 조직 기능에는 상품 공급업자 개발을 하는 MD(Merchandiser), 고객의 획득과 유지, 제휴 사이트 협력업무를 하는 마케팅이 있다.

종합몰의 진화 방향은 백화점, 홈쇼핑 등 기존 쇼핑채널이 가지고 있는 공간과 시간의 제약을 해결하는 쇼핑채널로 자리 매김 하는 것이다. 종합몰은 기존 쇼핑채널의 상품을 더 많이 진열하고, 기존 쇼핑채널을 이용하는 고객을 인터넷 쇼핑몰로 이동시키고 있다. 이를 통해 종합몰은 기존 쇼핑채널 이용 고객이 기존 쇼핑채널 상품을 언제든지 구매할 수 있는 멀티 쇼핑채널의 플랫폼으로 진화하고 있다.

전문몰은 특정 카테고리에 대해 폭넓은 구색을 갖추고 있으며, 사업모델의 운영은 종합몰과 비슷하다. 대표적으로 도서 전문몰인 YES 24를 들 수 있다. YES 24는 도서, 전자 도서, 음반, DVD, 티켓 등 다양한 문화상품을 다루는 문화포탈로 진화하고 있다.

YES 24는 현재 240만종의 도서 DB를 확보하고 있고, 월 평균 4~5만종의 신간도서를 고객에게 제공하고 있다. 총알배송 마케팅으로 수도권의 경우 당일 오전에 주문하면, 오후에 책을 받아볼 수 있도록 하고 있다. 또한 각종 제휴 마일리지를 활용하여 보다 저렴하게 책을 구매할 수 있도록 하고 있다. 즉 YES 24가 도서 전문몰 1위를 유지하는 핵심은 롱테일을 이루는 많은 도서, 빠른 배송 그리고 가격 경쟁력이다.

03

선도 쇼핑몰은 항상 바뀔 수 있다

1996년 인터파크, 1997년 한솔 CS클럽, 1998년 삼성몰, 옥션 …

이들 쇼핑몰 사업자들은 시장에 진입하여 한때 선도 쇼핑몰 자리에 올랐던 영광이 있었다. 다른 산업처럼 쇼핑몰 업계도 고객의 니즈를 반영하지 못하고, 경쟁역량을 키우지 못하면 1등의 자리를 지킬 수 없다.

네이버 메인 페이지의 쇼핑 박스

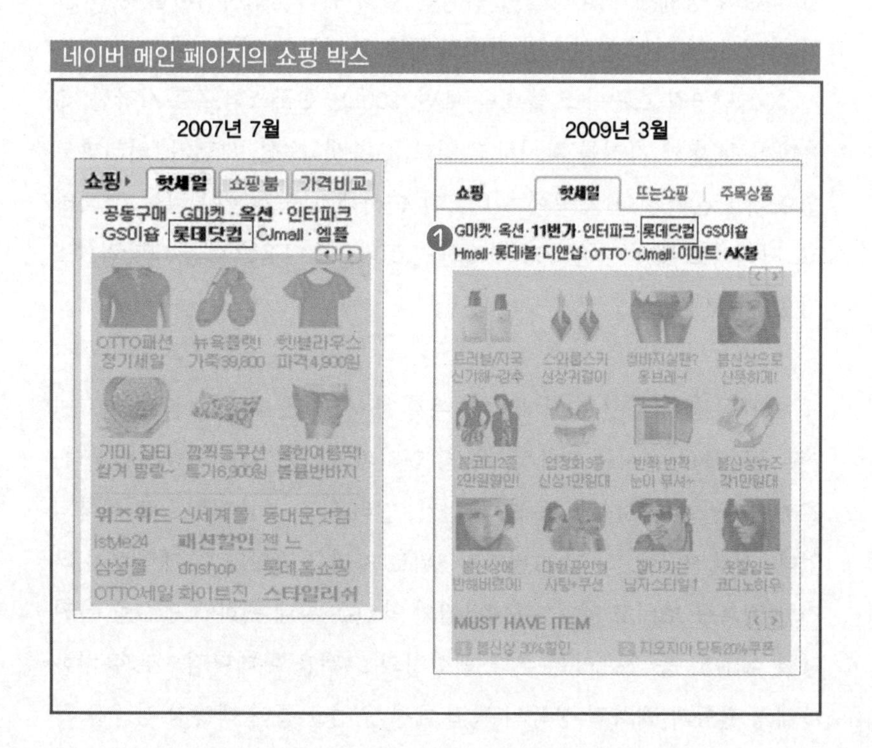

쇼핑몰 업계의 리더십 순위는 네이버를 통해 간접적으로 확인할 수 있다. 하루 1,200만명이 네이버를 방문하며, 이 중 쇼핑 정보가 필요한 방문자에게 상품 비교, 가격 비교, 지식인 정보 등을 제공하고 있다. 네이버 메인 페이지 우하단 '쇼핑 박스'에서 선도 쇼핑몰의 우열을 확인할 수 있다.

쇼핑 박스에서 ❶ 위치는 쇼핑박스 프리미엄 텍스트라고 한다. 네이버에 입점료를 지급하고 입점한 쇼핑몰 중 네이버 지식 쇼핑내 지난 분기 거래액 상위 14개사의 쇼핑몰명이 노출된다. 노출되는 순서는 네이버 검색 창에서 이용자들이 검색한 검색 쿼리 수, 네이버를 통한 쇼핑 거래액, 네이버 지식쇼핑 기여도 등을 고려하여 정해진다.

2009년 3월 쇼핑박스 몰명을 보면, 2002년 G구스닥으로 시작한 G마켓이 첫 번째 자리를 차지하고 있다. G마켓, 옥션, 11번가, 인터파크 순으로 오픈마켓이 앞쪽에 있다. 이 순서대로 고객들이 많이 검색하고, 거래액도 많이 나온다고 이해하면 된다. 그 다음으로 롯데닷컴, GS이숍의 순서이다.

쇼핑몰명 리스팅 순서에서 눈여겨 볼 것이 롯데닷컴이다. 2007년 7월 쇼핑몰의 순서는 G마켓, 옥션, 인터파크, GS이숍, 롯데닷컴이다. 2009년 3월에는 G마켓, 옥션, 11번가, 인터파크, 롯데닷컴으로 변화되었다. 시장진입에 1년된 11번가가 3위로 자리를 잡았고, 롯데닷컴이 약진한 결과를 보이고 있다. 롯데닷컴의 약진은 롯데 백화점 영수증 복권 당첨 이벤트 등 오프라인 롯데 백화점의 고객을 롯데닷컴으로 유치한 마케팅 활동과 백화점 상품의 독립 매장 운영을 통해 백화점 상품을 확대한 성과로 이해된다. 롯데닷컴의 고객과 상품 수가 늘어 남으로서 네이버에서 롯데닷컴을 찾는 검색 수가 늘어나고, 이에 따라 네이버를 통한 롯데닷컴의 거래액도 늘어나는 구조가 만들어진 것이다.

실제 고객들의 인터넷 쇼핑몰 이용 경로를 보더라도 쇼핑몰 이용자의 55.8%가 오픈마켓을 이용하고 있다.

인터넷 쇼핑 이용 경로(복수 응답)

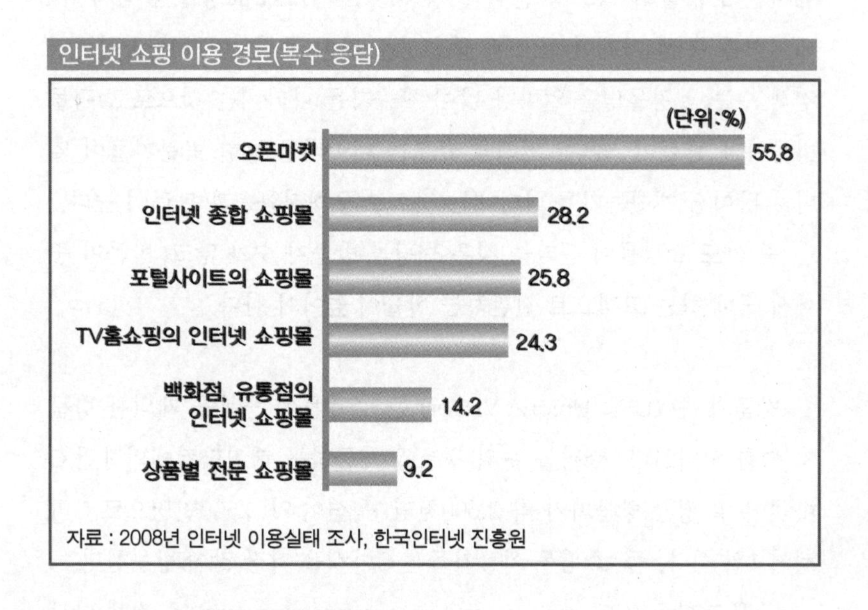

자료 : 2008년 인터넷 이용실태 조사, 한국인터넷 진흥원

이처럼 고객이 찾는 상품과 서비스를 경쟁사 보다 더 좋게 제공하면, 선도 쇼핑몰 자리는 항상 바뀔 수 있다.

04 선도 쇼핑몰로 가는 성공 전략을 이해하라

선도 쇼핑몰이 되기 위한 구체적인 성공 요소는 무엇일까? 네이버에서는 쇼핑몰의 리스팅 순서를 정하는 기준으로 쇼핑몰명 검색 수, 네이버를 통한 거래액 규모에 중요성을 많이 둔다. 여기서 쇼핑몰명 검색 수는 쇼핑몰명을 얼마나 많이 찾는가를 나타내는 것으로 쇼핑몰 방문자와 관련이 높다. 거래액 규모는 네이버를 통한 방문자들이 얼마나 많이 구매했는가를 나타내는 것으로 구매전환율과 관련이 높다.

즉 선도 쇼핑몰이 된다는 것은 쇼핑몰 방문자 수가 많고, 방문자 중에서 구매 하는 고객으로 전환하는 비율이 높아야 한다.

방문자 수 (UV : Unique Visitor) 는 쇼핑몰에 중복을 제외한 방문자 수를 의미한다. 쇼핑몰 순위 정보를 제공하는 랭키닷컴에의하면 G마켓이 일 평균 방문자가 약 2,600천명, 옥션이 약 2,500천명으로 G마켓이 1위 이다. 즉 쇼핑몰 이용자들은 G마켓을 가장 많이 방문한다.

구매 전환율 (CR : visit to purchase conversion ratio)은 전체 방문 UV 중에서 주문완료 페이지 방문 UV을 의미한다. 그림의 G마켓의 구매 전환율이 약 25% 로서, G마켓이 1위 이다. 즉 쇼핑몰 구매자들은 상품 풍부함, 매장 찾기, 상품 페이지의 상품 설명, 저렴한 가격, 배송 및 반품 서비스 등 쇼핑경험 전반적 면에서 G마켓의 경쟁력이 가장 높다고 생각한다.

G마켓의 구매 전환율

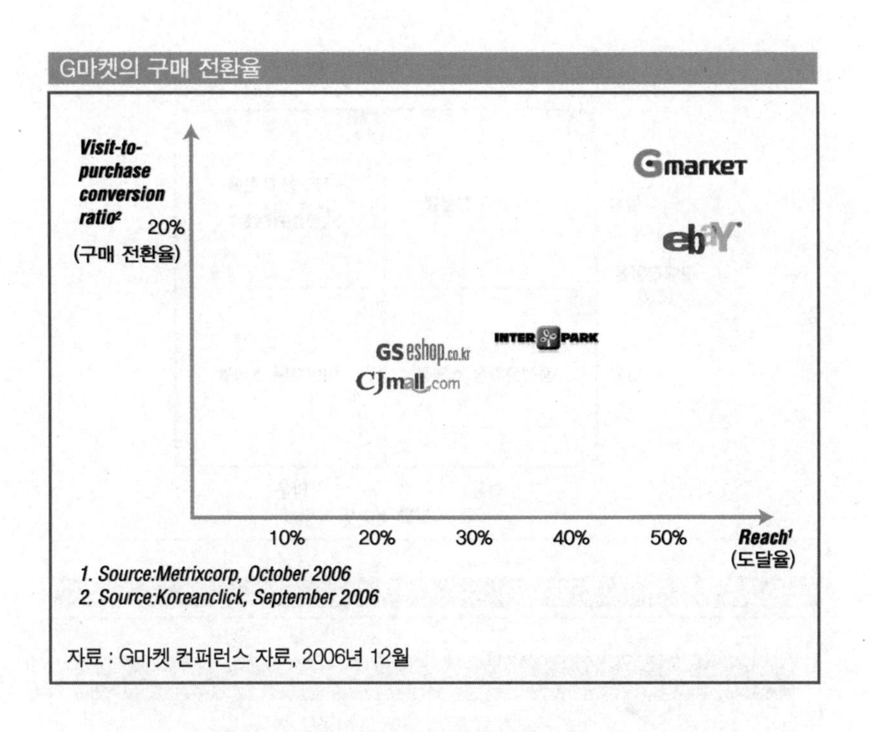

자료 : G마켓 컨퍼런스 자료, 2006년 12월

여기서 쇼핑몰의 성공 요소인 방문자와 구매 전환율을 가지고 쇼핑몰을 4가지로 유형화하여 특성을 살펴보자. A 선도형 대형몰이다. 방문자가 많고, 구매 전환율도 높다. 여기에 속한 쇼핑몰은 직 · 간접적으로 방문자를 모으는 역량이 우수하다. 방문한 고객을 구매고객으로 전환시키기 위해 풍부한 상품구색, 찾기 쉬운 매장 네비게이션, 우수한 검색 결과 페이지, 비용을 절감 할 수 있는 다양한 결제수단, 배송 및 반품 서비스 제공 등 쇼핑경험 제공 운영역량이 높다.

현재는 방문자와 구매 전환율을 기준으로 했을 때 G마켓이 선도형 대형몰을 대표한다. 쇼핑몰 성공전략의 실행 내용에서 G마켓의 활동 사례를 자세히 소개하겠다.

쇼핑몰의 4가지 유형

쇼핑몰 유형별 전략 요소의 특징

구분	주요 특징
A. 선도형 대형몰	• 방문자가 많으며, 구매 전환율도 높음 • 포탈, 가격비교 등을 통해 방문자를 모으는 역량이 높음 • 재방문할 때 부터는 쇼핑몰로 직접 방문하게 할 수 있는 마케팅 툴이 많음 • 상품구색, 매장 찾기, 검색 결과, 다양한 결제 수단 등 쇼핑경험 전반의 운영역량 높음
B. 이벤트형 쇼핑몰	• 방문자는 많으나, 구매 전환율은 낮음 • 이벤트 등을 기획하여 방문자를 모으는 역량은 있음 • 상품 구색 부족, 검색결과 불량, 결품 등 쇼핑경험 전반의 운영 역량 낮음
C. 카테고리 전문몰	• 방문자는 적으나, 구매 전환율은 높음 • 고정 고객 확대 등을 통해 방문자를 모으는 역량이 높음 • 전문 상품 구색, 매장 찾기, 검색 결과 등 쇼핑몰 본연의 운영역량 높음
D. 풍전등화형 쇼핑몰	• 방문자가 적고, 구매 전환율도 낮음 • 신규 진입한 소호몰 등으로서 쇼핑몰 운영 역량 낮음

B 이벤트형 쇼핑몰이다. 방문자는 많으나, 구매 전환율은 낮다. 100원 경매 등 이벤트를 기획하여 방문자를 일시적으로 모으는 역량은 있다. 하지만 부족한 상품구색, 검색 결과 페이지의 불량, 결품으로 인해 방문자들을 구매고객으로 전환시키는 역량은 낮다.

C 카테고리 전문몰이다. 방문자는 적으나, 구매 전환율은 높다. 매니아층 고정고객 확대를 통해 방문자를 모으는 역량이 높다. 또한 카테고리 킬러형 상품 구색, 찾기 쉬운 매장, 우수한 검색 결과 페이지 등 쇼핑몰 본연의 운영역량이 높다.

D 풍전등화형 쇼핑몰이다. 방문자가 적고, 구매 전환율도 낮다. 신규 진입한 소호몰, 쇼핑몰 성공전략 실행 역량이 부족한 쇼핑몰로서 운영역량을 단계적으로 키워나가야 생존할 수 있다.

이러한 쇼핑몰 유형분류는 쇼핑몰 경영자가 운영하는 쇼핑몰이 어떠한 유형에 속하는 지를 파악하고, 선도형 대형몰이 되기 위해서 성공전략 요소를 어떻게 경영해야 하는지를 고민하는데 도움이 되는 프레임이다.

그러면 구체적으로 **A** 선도형 대형몰이 되기 위한 성공 전략은 무엇인가?

우리가 살펴본 것 처럼, G마켓이 쇼핑몰 성공을 판단하는 요소인 방문자와 구매 전환율에서 1위이다. 따라서 선도 쇼핑몰이 되기 위해서는 방문자와 구매 전환율을 지속적으로 높이기 위한 9가지 성공전략을 실행해야 한다. 그림에서 보듯이 방문자를 확대하기 위해서는 우선 ❶ 간접 방문자를 적극 확대해야 한다. 간접 방문이란 쇼핑을 하기 전에 정보탐색을 위해 방문한 사이트를 통해 쇼핑몰로 방문하는 것을 말한다. 쇼핑몰로 들어 오기 직전에 관문의 역할을 한다고 해서 게이트 웨이(GateWay)라고 부른다. 게이트 웨이 역할을 하는 것으로는 포탈, 가격비교, 상품전문 정보제공, 뉴스, 커뮤니티 사이트가 있다.

선도형 쇼핑몰의 성공 요소와 전략

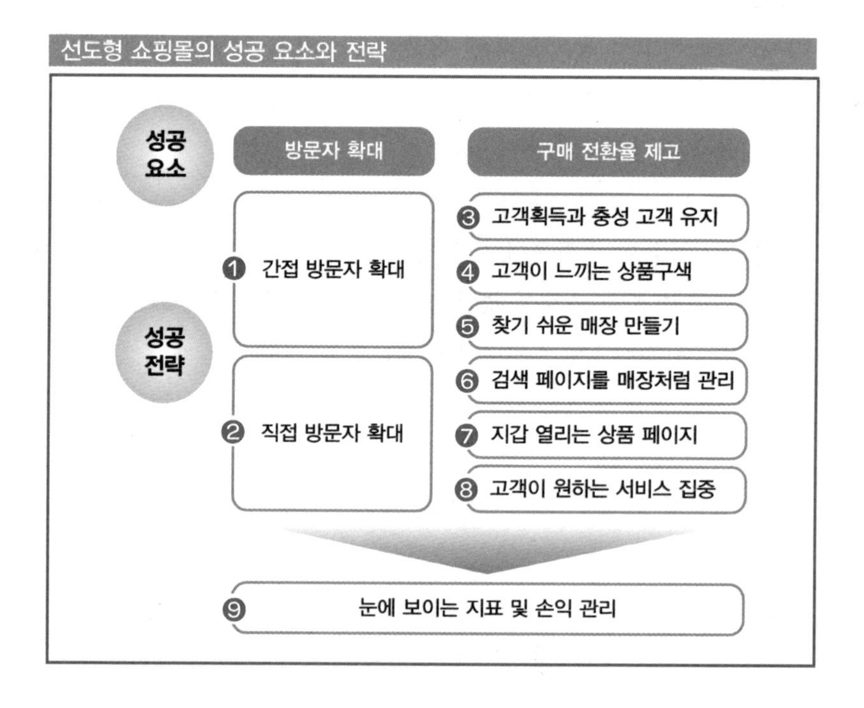

게이트 웨이를 통한 간접 방문자를 확대 하기 위해서는 방문자가 유입되는 게이트를 유형별로 관리해야 한다. 게이트 유형은 크게 포탈, 가격비교, 키워드 광고, 메일이 주종 이다. 포탈 중에서는 네이버를 중점 관리해야 한다. 네이버의 쇼핑박스, 지식쇼핑 등 다양한 코너를 통해 방문자를 확보해야 한다. 네이버 코너 하나를 통해 들어오는 방문자가 타 사이트 하나보다 더 많은 경우가 대부분이다. 키워드를 통해 방문자를 확보 할 때도 경쟁업태 고객, 경쟁사 고객, 알뜰 고객 등 고객 유형별로 적합한 키워드를 활용해야 한다. 가격비교에서는 상품 DB 매칭율을 높여 방문자를 확대 해야 한다. 쇼핑몰에서 보내어 주는 상품 DB가 가격비교에서 운영하는 상품 DB와 매칭이 되어야 가격비교를 통한 방문자가 확대 될 수 있다. 또한 문화상품권, 이동통신회사나 신용카드사와 포인트 제휴를 통해 방문자가 확대될 수 있도록 해야 한다.

❷ 직접 방문자 비중을 높여 나가야 한다. 직접 방문이란 고객이 게이트 웨이를 거치지 않고 쇼핑몰로 직접 오는 것을 말한다. 직접 방문을 높이기 위해서 바탕화면에 바로가기 아이콘 생성, 즐겨찾기 설정하기, 시작 페이지 설정 등 다양한 직접가기 툴을 고객에게 제공해야 한다. 직접 방문한 고객에게는 전용 상품매장 혜택을 제공해서, 간접 방문자가 다음에 재방문 할 때는 직접방문할 수 있도록 해야 한다.

간접 방문자보다는 직접 방문자가 구매 전환율도 높은 편이므로 쇼핑몰은 간접 방문자를 최대한 모은 다음 직접 방문자 비중을 지속적으로 높이는 활동을 해야 한다.

구매 전환율을 높이기 위해서는 ❸ 고객을 획득해서 충성고객으로 유지해야 한다. 방문자 → 신규회원 → 일반 구매고객 → 충성고객으로 단계별 고객을 관리하는 틀을 가지고, 충성고객을 늘려가야 구매전환율이 높아진다. G마켓은 인터넷 특성을 반영하여 구매확정 빈도에 의한 고객별 신용점수로 일반고객, 단골고객, VIP 고객으로 관리하고 있다.

❹ 구매 전환율을 높이기 위해서 상품구색의 풍부함을 느끼게 해야 한다. 쇼핑몰이 아무리 많은 상품을 가지고 있다 하더라도 고객이 인식하지 못하면, 상품은 없는 것이다. 즉 고객에게 상품구색의 풍부함을 느끼게 만들어야 구매 전환율이 높아진다. 풍부함을 느끼게 하기 위해서는 메인 페이지, 검색 결과 페이지, 소분류 매장, 신상품의 노출 등에서 운영역량을 발휘해야 한다. 시간과 공간의 제약이 있는 오프라인과는 달리 인터넷 상품 구색은 롱테일이 되어야 한다. 롱테일은 판매 수량이 적은 80% 상품이 거래액과 영업이익에 더 도움이 된다는 개념이다.

❺ 구매 전환율을 높이기 위해서 찾기 쉬운 매장을 만들어야 한다. 고객이 쇼핑할 때 가장 많이 클릭하는 것이 대 · 중 · 소분류 매장 네비게이션이다. 따라서 고객이 원하는 매장이 찾기 쉬워야 한다. 쇼핑몰은 찾기 쉬운 매장을 만들기 위해 대분류 매장 분류 원칙, 소분류 매장 명칭 표기 및 배치하는 원칙을 가지고 운영해야 한다.

또한 대분류 매장은 매장 방문자를 상품간 시너지가 날 수 있도록 운영해야 한다. 예를 들어, 속옷매장은 독립 대분류 매장으로 운영하기 보다는 여성의류/속옷, 남성의류/속옷으로 의류와 속옷간에 방문자 시너지를 낼 수 있도록 운영하는 것이 좋다.

구매 전환율을 높이기 위해 소분류 매장 운영이 중요하다. 소분류 매장은 쇼핑하려고 하는 상품 영역이 구체적으로 집약되는 곳이다. 네이버 지식쇼핑의 소분류 매장 벤치마킹 하기, 브랜드 → 사이즈 순서에 의한 소분류 매장, 디자인의 차이에 의한 소분류 매장, 하이힐의 굽 높이에 의한 소분류 매장, 유아동의 월령별 소분류 매장 등 매장운영

역량을 발휘해야 한다.

⑥ 구매 전환율을 높이기 위해서 검색 결과 페이지를 매장처럼 관리해야 한다. 인터넷 쇼핑시 검색은 필수이므로, 검색 결과 페이지를 관리해야 할 매장이라고 인식을 가지는 것이 필요하다. 키워드를 판매하는 오픈마켓은 키워드 검색 결과 페이지를 매장이라고 인식하고 있지만, 키워드 판매 영업을 하지 않는 쇼핑몰에서는 인식의 전환이 요구된다. 네이버 고객조사 결과를 보면, 키워드 검색 결과 페이지에서 고객이 클릭하는 1 페이지를 집중 관리하고, 여력이 되면 2페이지까지 관리해야 한다.

통합 검색 결과 리스팅에는 전략적으로 중요한 색인이 포함되어야 한다. 쇼핑몰에서 고객들이 검색할 때 마다 전략적 색인을 리스팅해서 의도한 목표를 달성해야 한다. 예를 들면, G마켓은 단골고객 확보가 중요하다고 생각하여 통합검색 결과 색인에 단골찬스 매장이 리스팅되게 하고 있다.

상품명을 만들때도 제조사, 브랜드, 모델명, 대분류 매장명, 소분류 매장명을 반영하여, 키워드 검색할 때 정확히 검색될 수 있게 해야 한다.

⑦ 구매 전환율을 높이기 위해서 상품 페이지에서 지갑 열 수 있도록 해야 한다. 지금까지 마케팅 비용을 사용해서 모셔온 고객이 상품 페이지에서 주문하기 버턴을 클릭해야 구매 전환이 실현된다. 상품 페이지에서 저렴한 비용으로 구매할 수 있게 하고, 필요한 상품만 옵션으로 구매할 수 있게 한다. 또한 나중에라도 구매할 수 있게 바탕화면에 상품 이미지 저장하기 툴을 제공한다. 또한 상품평 등 상품을 경험

한 정보를 제공하여 구매 전환율을 높인다.

❽ 구매 전환율을 높이기 위해서 고객이 원하는 서비스가 제공되어야 한다. 구매시 10원이라도 아낄 수 있도록 할인쿠폰, 적립금, 카드 포인트, 문화 상품권 등 현금외 다양한 결제수단을 사용할 수 있게 한다. 고객은 결제 변경과 관련된 정보 제공, 배송 진행에 관련된 정보 제공, 편리한 반품 서비스를 주로 기대한다. G마켓은 서비스 품질이 판매자간 경쟁적으로 올라갈 수 있는 운영 시스템을 가지고 있다.

쇼핑몰은 서비스 품질을 지속적으로 높이기 위해서는 고객이 쇼핑시 부담하는 비용이 현금뿐만 아니라 상품 탐색 시간, 배송 완료까지 심리적 기다림 등이 포함되어 있음을 인식해야 한다.

방문자 확대 및 주문 전환율 제고를 위해 실행한 전략이 경쟁력 향상에 기여하고 있는지를 파악하기 위해서 ❾ 현황을 볼 수 있는 지표가 관리되어야 한다. 지표로 보여야 현상에 대한 인식이 공유되고 관리될 수 있다. 지표 관리 영역은 방문자 확대를 파악하기 위해서 게이트 웨이, 검색 키워드, 메일, 직접 방문의 유입 경로별로 지표 변화를 관리해야 한다. 또한 방문자 유입 및 유출 되는 사이트의 변화를 파악하여 고객의 흐름이 변화하는 것을 관리해야 한다.

쇼핑몰의 전반적 경쟁력을 나타내는 구매전환율 지표를 관리해야 한다. 또한 구매 전환율에 영향을 주는 몰의 속도, 검색 성공율, 페이지 뷰 등 쇼핑몰 편의성 지표를 관리해야 한다.

고객 활동성을 파악하기 위해서 회원수, 구매 객수, 고객 등급별 구매 객수 등을 지표로 파악해야 한다.

상품 경쟁력을 파악하기 위해서 총 상품수, 판매 상품수, 구매 전환 상품 비율, 판매 상품 수량, 상품 노출 소요시간 등을 지표로 파악해야 한다.

상품 공급자 활동성을 파악하기 위해서 총 공급자 수, 매출 발생 공급자 수, 활동 등급별 공급자 수, 서비스 등급별 공급자 수 등을 지표로 파악해야 한다.

고객 서비스 품질을 파악하기 위해서 총 CS 발생 건수, 결제 · 배송 · 반품 3대 CS 발생 건수, 배송 정보제공 건수 등을 지표로 파악해야 한다.

지표 관리는 전략의 실행 성과를 점검하기 위한 것이며, 전략 실행 내용이 변함에 따라 적합한 지표가 선정되어야 한다.

⑨ 쇼핑몰 사업을 통해 영업이익을 내야 한다. 진입 장벽이 낮고, 가격비교 정보를 얻기가 쉬운 쇼핑몰 사업에서 이익을 내기 위해서는 디테일하고 창의적 관리방법이 사용되어야 한다. 정율 및 정액 할인 방법별 할인쿠폰 사용, 가격할인 내용을 고객에게 잘 소구해야 한다. 마케팅의 노하우를 통하여 카드 가맹수수료, 적립금, 무이자 할부 수수료, 제휴 수수료, 콜센터 등 변동비를 절감해야 한다. 경영혁신을 통해 인건비, 광고선전비 등 고정비를 절감해야 한다.

이제 2부 부터는 성공 전략의 실행내용에 대해 구체적으로 살펴 보자.

제 2 부

게이트 웨이를 통한 간접 방문자를 확대하라

포인트

- 방문자가 유입되는 4가지 게이트 유형을 이해한다
- 포탈과 가격비교로부터 간접 방문자 모으는 방법을 이해한다.
- 경쟁사의 고객, 잠재고객을 모으기 위해 치밀하게 키워드를 운영하는 G마켓을 확인한다.

제 2 부 게이트 웨이를 통한 간접 방문자를 확대하라

01

방문자가 유입되는 게이트 웨이 유형을 관리하라

쇼핑몰 방문자가 유입되는 게이트 웨이(Gate Way)는 4가지로 유형화할 수 있다. ❶ 제휴 사이트를 통해 방문하는 유형이다. 제휴 사이트는 네이버, 다음과 같은 포탈, 에누리, 베스트 바이어와 같은 가격비교 사이트가 주력이다.

G마켓의 방문자 유입 게이트 유형

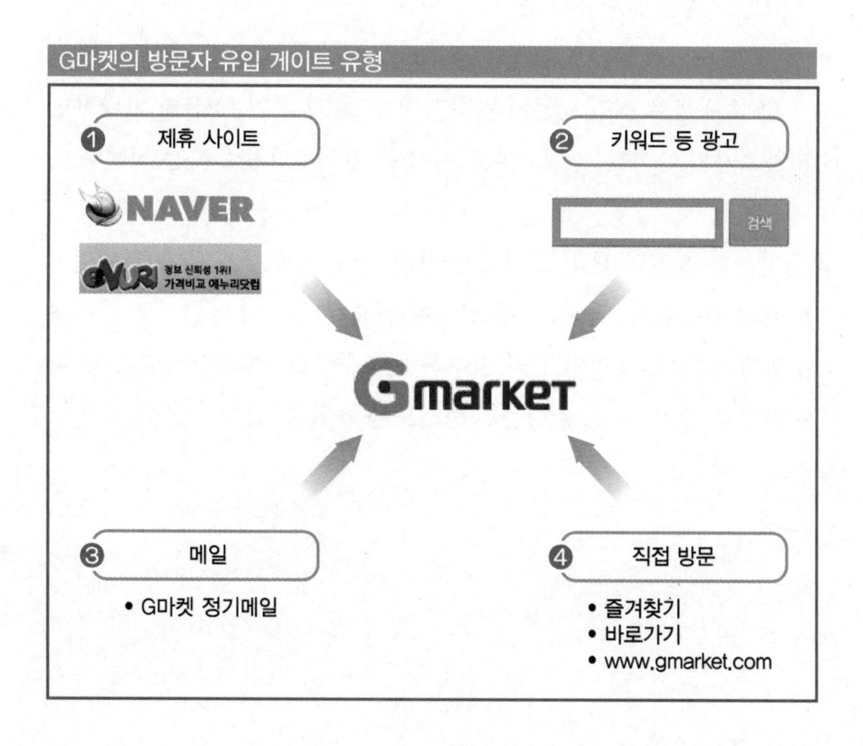

❷ 키워드, 배너 등 광고를 통해 방문하는 유형이다. 배너 광고보다는 키워드 광고를 통해 방문하는 비중이 높다.

❸ 쇼핑몰이 회원을 대상으로 보내는 정기 메일, 기념일 메일을 통해 방문하는 유형이다. 월 · 화요일과 같이 주초에 보내는 메일이 클릭율이 높다. 메일 제목도 무료 시사회, 명품 할인 등 고객에게 혜택을 제공하는 문구가 클릭율이 높다. 메일 보내는 시간대도 오전 7시 경에 보내면, 고객이 메일 확인 시 첫 페이지에 노출될 수 있다. 첫 페이지에 있는 메일의 클릭율이 높다.

❹ 쇼핑몰로 직접 방문하는 유형이다. 즐겨 찾기, 컴퓨터 바탕화면의 바로가기 아이콘, 직접 사이트 주소를 입력하고 방문하는 것이다.

방문자 유입의 관리 포인트는 첫째, 전체 방문자가 증가 추세인지를 관리해야 한다. 둘째, 직접 방문자 비중이 증가 추세인지를 관리해야 한다. 직접 방문자가 증가 할수록 제휴수수료, 키워드 광고비 등 비용을 절감 할 수 있고, 쇼핑몰의 충성도를 높일 수 있다.

02

종합몰과 오픈마켓에 찾아오는 방문자가 다르다

최근 인터넷 쇼핑 이용자 조사 결과를 보면, 전체적 인터넷 쇼핑 이용율이 60.6%로 전년대비 3.3%P 증가하였다. 여성의 인터넷 쇼핑 이용율 68.2%로 남성보다 높으며, 20대와 30대가 주력 연령층이다.

성 · 연령별 인터넷 쇼핑 이용율 현황

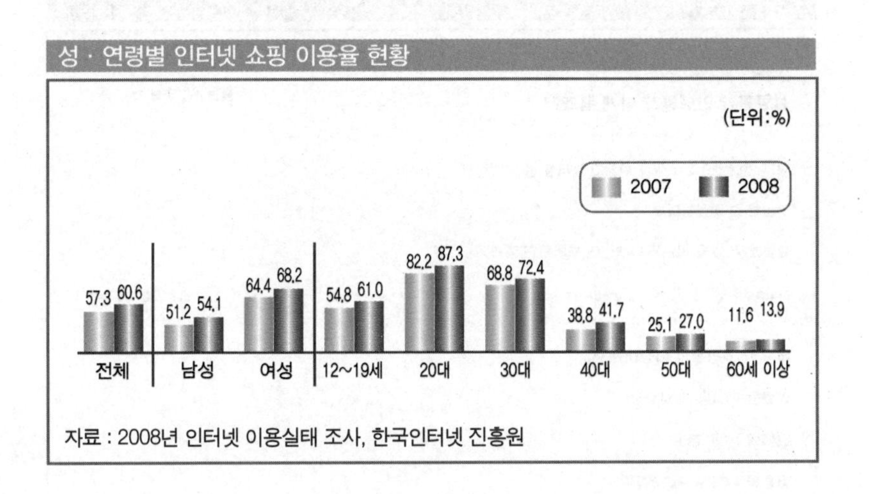

자료 : 2008년 인터넷 이용실태 조사, 한국인터넷 진흥원

또한 롯데닷컴, GS이숍 등 종합몰에서 한번 주문할 때 단가는 평균 10만원내외이다. 브랜드 상품, 컴퓨터, 가전 등 단가가 높은 고관여 상품을 구매하기 때문이다. 이는 혹시 주문 이후에 생길지 모르는 반품, 교환, AS 등 사후 서비스의 편의성을 기대하기 때문이다.

반면, G마켓, 옥션 등 오픈마켓에서 주문단가는 보통 2~3만원 내외이다. 패션 단품 중심으로 주문 이후에 사후 서비스가 별로 수반되지 않는 저관여 상품들이 많이 판매되기 때문이다.

쇼핑몰의 역사가 10여년이 지난 지금 고객은 쇼핑에 대한 믿음이 가는 쪽으로 종합몰을 생각하고 있으며, 실용적이고 트렌드를 선도하는 쪽으로 오픈마켓을 생각하고 있다.

쇼핑몰들의 애칭

비공개 | 2007-07-05 13:28

설탕몰?? 안녕몰?? 이게 뭐죠??

답변 1 | **조회** 732

제가 인터넷으로 쇼핑을 하려고 검색을 좀 해봤는데,

이상한 걸 발견했어요.

설탕몰, 안녕몰 이런게 나오던데 도데체 뭔가요??

emigod 님의 답변 | 2007-07-05 13:29

스크랩 0 | 추천 1

네~ 각 쇼핑몰의 애칭이에요.

설탕몰 : CJ몰 (제일제당)

안녕몰 : 하이마트

기름몰 : GS e 숍(GS칼텍스)

효리몰 : G마켓 (이효리가 CF나옴)

감기몰 : H몰 (재채기 소리랑 비슷)

전화몰 : KT몰 (KT 전화국이라서)

공원몰 : 인터파크(파크라서요..)

필름국 : 필름나라(사진 주변용품만 다룸)

자료 : Daum.net의 신지식인

또한 각 쇼핑몰별로 고객들이 인지하는 연상 이미지도 구분되어져 있다. 롯데닷컴에 대해서는 롯데백화점 상품 판매의 영향으로 세련되고 고급스런 이미지를 가지고 있다. G마켓은 친근하고 실용적이고 대중적인 이미지를 가지고 있다.

또한 사진 전문 커뮤니티 사이트 slrclub.com 에서는 회원간에는 쇼핑몰을 재미있는 애칭으로 소통하고 있다. CJ몰은 설탕몰, G마켓은 효리몰 등으로 불린다.

쇼핑몰 고객 간담회를 해보면 고객들은 종합몰에서는 침대, 가구, 가전, 컴퓨터 등 비싼 상품을 구매한다. 반면 오픈마켓에서는 한 시즌 입을 단품의류, 현미경 등 특이한 상품을 구매한다.

또한 종합몰은 30대가 주력 고객층이나, 오픈마켓은 20대 초반이 주력 고객층이다. 주력 고객층이 차이가 나는 것은 소득수준, 트렌디한 상품 구색, 사후 서비스 편의성 등 복합적 요인에 의한 것이다.

20대 여성이 주력 고객층인 쇼핑몰 팀장이 고민을 털어 놓았다. 어떻게 하면 GS이숍처럼 고단가 상품을 많이 팔 수 있느냐는 질문이었다. 가구, 가전 등 단가가 높은 상품을 쇼핑몰 전면에 배치해도 팔리지가 않는다는 것이다. 여기서 해결 방법은 쇼핑몰에 찾아 오는 고객에 맞추는 것이 최선이다. 20대 젊은 직장 여성이 주력 고객이기 때문에 트렌디하고 사무실에서 입을 수 있는 독특한 디자인 의류를 집중 육성하는 것이 옳바른 상품전략이다.

03 포탈 메인 페이지 쇼핑박스에서 방문자를 모아라

쇼핑몰 간접 방문자는 포탈 사이트로부터 가장 많이 온다. 일평균 방문자가 네이버가 1,200만명, 다음이 900만명이다. 포탈 사이트를 통해 세상 돌아 가는 뉴스, 트렌드 정보를 얻고, 쇼핑을 하고 싶은 많은 사람들은 쇼핑박스를 통해 쇼핑몰로 이동한다.

쇼핑박스

간접 방문자 유입 게이트 중에서 효과가 높은 곳이 네이버 이다. 랭키닷컴에 의하면 네이버 지식쇼핑의 주간단위 방문자는 약 600만명 수준으로 다음 쇼핑하우의 3배 이다. 네이버 중에서도 메인 페이지에 있는 쇼핑박스이다. 쇼핑박스 상단에 있는 ❶ 쇼핑몰명은 네이버내 노출 영역중에서 가장 방문자 유입이 많은 곳이다. 현재로서는 G마켓이 가장 좋은 위치를 차지 하고 있다. 이는 G마켓이 네이버에서 쇼핑몰명을 검색하거나 네이버를 통한 거래액이 가장 많기 때문이다.

네이버 지식쇼핑 및 다음 쇼핑하우 방문자 규모

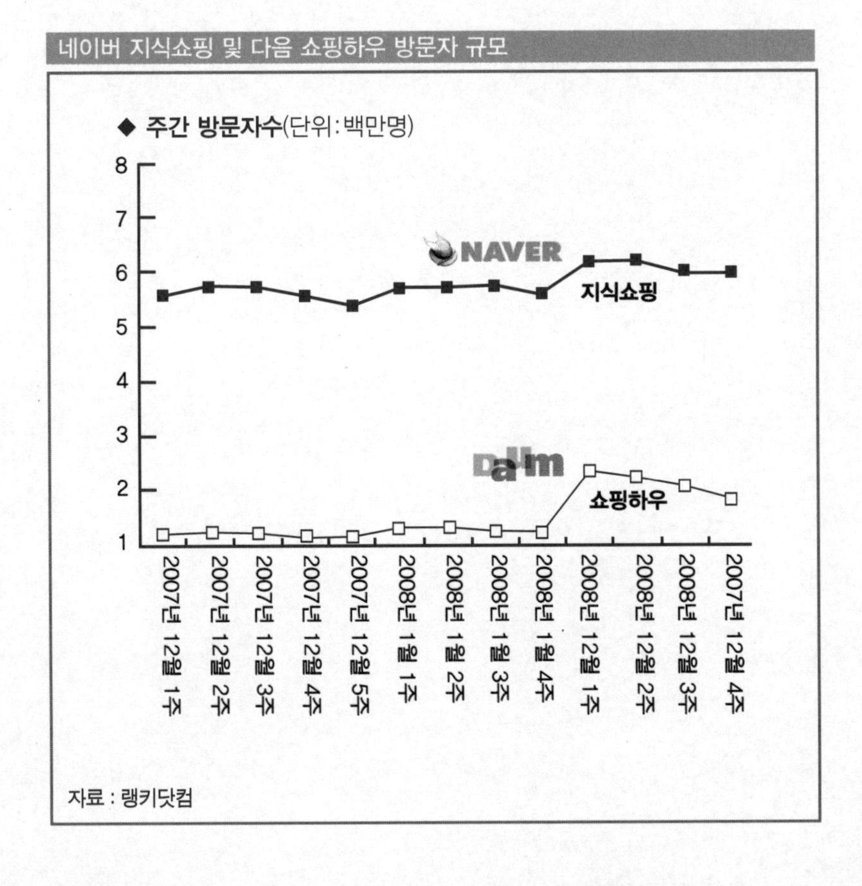

자료 : 랭키닷컴

쇼핑박스내 쇼핑몰명 아래 부분이 ❷ 섬네일 (thumb nail) 이미지 영역이 있다. 주로 브랜드 인지도가 낮은 전문몰에서 상품력을 내세워 방문자를 유입하기 위해 이용한다. 가격 메리트가 있는 유명 상품, 저단가 트랜디 패션 상품이 방문자 유입 효과가 높다. 예를 들면, '노스페이스 특가세일', 'MCM백 30%', '빈폴 반값 세일'등과 같은 판촉 문구가 효과가 높다. 노출 후 3~4시간이 지나도 방문자 유입이 저조할 경우 바로 다른 상품으로 교체하면 된다.

04

포탈의 브랜드 검색 페이지에서 방문자를 모아라

포탈 검색 이용자의 많은 사람들이 브랜드 명을 검색한다고 한다. 브랜드 키워드는 회사명 또는 상품 브랜드명을 말한다. 미국의 한 조사에 의하면, 상위 검색 100개 키워드 중에서 브랜드 관련 키워드가 75% 라고 한다. 쇼핑몰을 방문할 경우에도 쇼핑몰의 브랜드인 쇼핑몰명을 많이 검색한다. 네이버 검색창에서 'G마켓'을 검색하면 브랜드 검색 페이지가 나온다. 여기서 ❶ '바로가기'를 클릭하고 G마켓으로 이동해서 구매할 경우 G마켓은 네이버에게 제휴수수료를 지급하지 않는다. 이 '바로가기'는 광고영역이라기 보다는 포탈 본연의 정보제공 역할을 하는 영역이라고 정의하고 있기 때문이다. 하지만 ❷ 브랜드 검

G마켓 브랜드 검색 결과 페이지 (브랜드 검색 매장을 운영하는 경우)

색 페이지를 클릭하고 G마켓에서 쇼핑할 경우, G마켓은 네이버에게 제휴 수수료를 지급한다. 브랜드 검색페이지의 ❸ 상품정보, ❹ 관련 정보, ❺ 이벤트 및 행사상품은 각 쇼핑몰의 담당자가 방문자를 최대한 유입하기 위해 운영한다.

G마켓 브랜드 검색 페이지의 ❸ 상품정보를 보면, 집중 육성하고자 하는 카테고리 전략을 읽을 수 있다. 앞쪽에 있는 패션/뷰티, 현재 주력으로 키우고 있는 리빙, 식품, 그리고 온라인과 오프라인이 연계된 e쿠폰 상품이 노출 되어 있다. ❹ 관련 정보를 보면, G스탬프/로또, LGT쿠폰존, 카드할인존 등 가격할인을 받을 수 있는 다양한 정보가 제시되고 있다. ❺ 이벤트 및 행사상품에서는 시즌 상품, 이벤트 상품, 브랜드 세일, 트렌드 상품을 소개하여 쇼핑 니즈를 자극하고 있다.

브랜드 검색 페이지 관리를 할 때 몇가지 운영원칙을 가지고 해야 한다. 첫째, ❸ 상품정보에 고객이 특정 쇼핑몰에서 연상하는 상품 카테고리를 노출한다. 둘째, ❸ 상품정보에 쇼핑몰이 전략적으로 육성하고자 하는 카테고리를 노출한다. 여기서 전략적 육성이란 여성고객 확보, 고수익 창출, 취급액 제고 등 월별, 분기별로 정해지는 쇼핑몰 목표달성 운영 방침을 의미한다. 셋째, ❹ 관련정보에 가구 아울렛 매장, 쿠폰 존 등 가격할인에 대한 혜택을 주는 코너를 집중노출 한다. 넷째, ❺ 이벤트 및 행사상품 선정시에는 단일 브랜드 행사를 운영한다. 예를 들면 'MCM 최고 30% 단독 할인전'은 효과가 있지만, '잡화 7대 브랜드전'과 같은 포괄적 행사는 상대적으로 효과가 적다.

반면 브랜드 검색 페이지를 운영하지 않는 쇼핑몰도 있다. 롯데닷컴의 경우 브랜드 매장을 운영하지 않고 있다. 만약 롯데닷컴에서 의도적으로 운영하지 않는다면 브랜드 검색 페이지를 통한 제휴수수료를 절감하기 위한 것이다.

롯데닷컴 브랜드 검색 결과 페이지 (브랜드 검색 매장을 운영하지 않는 경우)

브랜드 검색 페이지는 브랜드 이미지 형성 차원에서 운영하는 것이 필요하다. 또한 브랜드 페이지를 통한 거래액 비중도 꽤 높은 편이므로 운영을 하는 것이 바람직하다. 제휴수수료도 거래액과 비례하여 발생하므로 패션 등 롯데백화점 고마진 상품 중심으로 운영하면 된다.

05

방문자가 검색하는 키워드 유형을 이해하라

쇼핑몰에 방문하기 전에 고객은 포탈에서 키워드 검색을 통해 사전 정보를 수집한다. 네이버 키워드 검색 담당자는 고객이 키워드를 검색하는 목적을 3가지로 유형화하고 있다.

키워드 검색목적의 3가지 유형

❶ 쇼핑 목적	❶ + ❷ 복합 목적	❷ 정보 목적
나이키 신발, 꽃배달, 할인항공권, MCM 가방 등	제주도 펜션, 연금보험, 봄 인테리어, DSLR 등	입학선물 추천, 눈썹성형 추천, 당일 여행, 가격비교 등

자료 : 네이버 자료실, 네이버 키워드 광고 전략적 활용방법 수정 활용, 2008년 12월

❶ 쇼핑 목적 키워드는 특정 상품을 쇼핑하기 위해 검색하는 유형이다. 나이키 신발, 꽃배달, 할인항공권, MCM 가방 등 쇼핑해야 할 품목이 정해져 있는 경우이다. ❷ 정보 목적 키워드는 정보를 수집하기 위해 검색하는 유형이다. 설날, 졸업, 입학, 발렌타인데이, 화이트데이, 어린이날, 여름휴가, 추석, 결혼, 이사, 크리스마스, 겨울방학 등 시즌에 필요한 정보를 검색하는 유형이다. ❶ + ❷는 정보 수집도 하고 쇼핑도 하기 위해 검색을 하는 유형이다. DSLR 카메라가 유행을 타기 시

작하면 트렌드를 이해하기 위해 정보를 수집하고, 가격비교 정보도 얻고 쇼핑도 하게 된다.

쇼핑몰은 포탈에서 키워드를 확보할 때에도 고객의 키워드 검색 유형별로 나누어서 키워드를 선별적으로 확보해야 한다. 광고비 예산이 제한적일 경우에는 쇼핑목적 유형의 키워드를 우선 확보하고, 정보 목적 유형의 키워드는 차선책으로 활용할 수 있다.

06
쇼핑몰 운영전략과 일관된 키워드를 집중 사용하라

한정된 광고비를 효과적으로 사용하기 위해서는 쇼핑몰의 운영전략과 일관된 키워드 운영을 해야 한다. 쇼핑몰에서 올해 육성해야 할 전략 상품군이 정해지면, 그 상품군 매장으로 방문자가 집중될 수 있도록 키워드를 운영해야 한다. 그렇게 해서 전략 상품군의 매출과 영업이익이 경쟁력을 확보한 뒤에 다음 상품군을 키우는 순으로 운영해야 한다.

쇼핑몰 키워드의 운영 전략

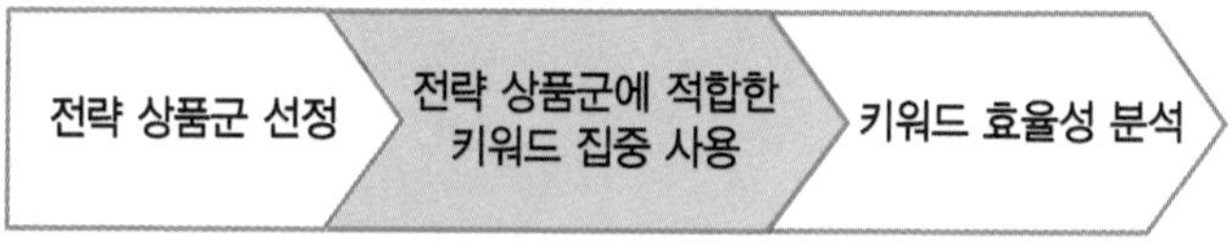

전략 상품군 선정 → 전략 상품군에 적합한 키워드 집중 사용 → 키워드 효율성 분석

예를 들어, 여성고객 획득을 위해 이미용 상품군을 전략 상품군으로 선정하였다면, 포탈에서 키워드 광고 운영도 이미용 쇼핑 고객들이 많이 찾는 쇼핑 키워드와 이미용 관련 정보 키워드를 집중 사용해야 한다. 사용한 키워드는 효율성 분석을 통해 효율이 낮은 세부 키워드는 교체하여 키워드 운영 역량을 쌓아 가야 한다.

07

세부 키워드로 광고비의 효율도 챙겨라

키워드는 크게 대표 키워드와 세부 키워드가 있다. 대표 키워드는 상품 카테고리 전체를 대표하는 것이다. 따라서 정보를 검색할 때 원하는 카테고리에서 가장 먼저 떠오르는 단어이며, 가장 먼저 검색을 한다. 이런 특성으로 경쟁 광고주가 많아서 클릭당 단가가 매우 비싸다.

세부 키워드는 상품 카테고리내 특정 모델이나 스타일에 관한 것이다. 따라서 정보를 검색할 때 구체적 목적을 가지고 검색을 한다. 이런 특성으로 클릭당 단가는 낮으며, 구매 전환율은 높다.

대표 키워드와 세부 키워드의 지표 비교

구분		클릭 수	구매 전환율	건당 전환 비용 (총비용/구매 전환건수)
대표 키워드	나이키	47,378	1.15%	10,408원
세부 키워드	나이키신발	28,127	1.22%	12,129원
	나이키에어포스	655	1.25%	6,809원
	나이키올백포스	40	6.25%	317원

자료 : 네이버 자료실

대표 키워드 '나이키'의 경우 클릭을 통한 방문자는 가장 많지만, 쇼핑으로의 구매 전환율은 가장 낮아서 구매 건당 광고비가 10,408원으로 가장 많이 든다. 즉, 키워드 광고비가 가장 비효율적으로 집행된다는 것이다. 반면 세부 키워드 '나이키올백포스'의 경우 클릭수는 낮지만, 구매 전환율이 높아 구매 건당 광고비가 317원으로 가장 적게 든다.

따라서 키워드 담당자는 회사의 광고재원을 고려하여 방문자를 높일 것인지, 비용의 효율적 사용을 추구할 것인지를 판단하여 업무를 추진해야 한다. 사업 성과를 책임지는 사업부장과도 키워드 운영 전략에 대해서는 컨센서스를 얻어야 한다. 즉 방문자를 높이는 운영을 할 것인지, 구매 전환율을 높이는 운영을 할 것인지를 명확히 해야, 최종 성과에 대해 이견이 발생하지 않는다.

08

경쟁사의 고객을 뺏어올 수 있는 키워드를 사용하라

우리나라 유통업태 중에서 규모가 큰 것이 할인점과 백화점이다. 그리고 이런 유통업태를 키워드로 검색하는 경우 쇼핑에 대한 잠재 니즈를 가지고 있을 가능성이 높다.

'할인점' 키워드 검색 결과

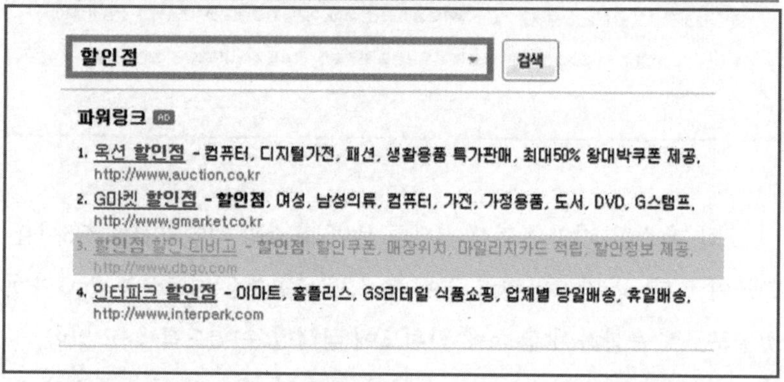

할인점 검색

파워링크 AD

1. 옥션 할인점 - 컴퓨터, 디지털가전, 패션, 생활용품 특가판매, 최대50% 왕대박쿠폰 제공.
http://www.auction.co.kr
2. G마켓 할인점 - 할인점, 여성, 남성의류, 컴퓨터, 가전, 가정용품, 도서, DVD, G스탬프.
http://www.gmarket.co.kr
3. 할인점 할인 디비고 - 할인점, 할인쿠폰, 매장위치, 마일리지카드 적립, 할인정보 제공.
http://www.dbgo.com
4. 인터파크 할인점 - 이마트, 홈플러스, GS리테일 식품쇼핑, 업체별 당일배송, 휴일배송.
http://www.interpark.com

'할인점' 키워드 검색결과를 보면, 이마트, 롯데마트 등 오프라인 할인점들이 자사의 사이트를 노출하지 않고 있다. 반면 G마켓, 옥션 등 오픈마켓이 '할인점' 키워드를 선점하여 고객의 유입을 먼저 챙기는 모습을 볼 수 있다. 특히 인터파크 할인점의 경우 이마트, 홈플러스, GS리테일을 검색할 때에도 노출될 수 있도록 키워드 상세문구를 작성하고 있다.

'백화점' 키워드 검색결과를 보면, 백화점 상품을 판매하는 롯데닷컴이 있다. 반면 옥션의 경우 백화점 상품은 없지만 백화점 상품권을 가지고 '백화점' 키워드에 검색될 수 있도록 하고 있다.

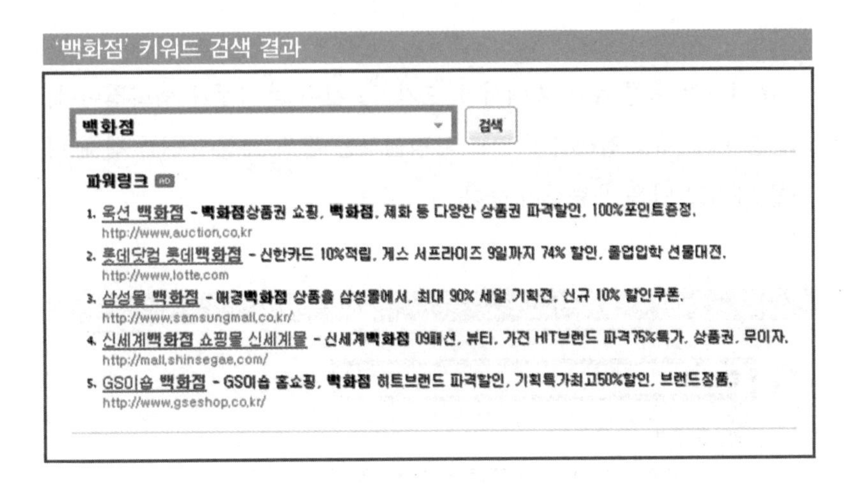

'백화점' 키워드 검색 결과

또한 '홈쇼핑' 키워드 검색 결과를 보면, 홈쇼핑 계열의 H몰, GS이숍, CJ몰이 있다. 반면 G마켓의 경우 '홈쇼핑', '홈쇼핑 히트상품'을 G마켓 설명문구에 포함하여 '홈쇼핑' 키워드에 검색될 수 있도록 하고 있다.

G마켓, 옥션이 경쟁업태인 할인점, 백화점, 홈쇼핑 등 유통업태 키워드를 사용하여 고객을 뺏어 오기 위한 치열한 마케팅을 하고 있음을 확인할 수 있다.

오픈마켓의 G마켓과 옥션은 선두쟁탈이 치열하다. G마켓은 키워드 '옥션'을 사용하여, 고객 유입을 촉진하고 있다.

'홈쇼핑' 키워드 검색 결과

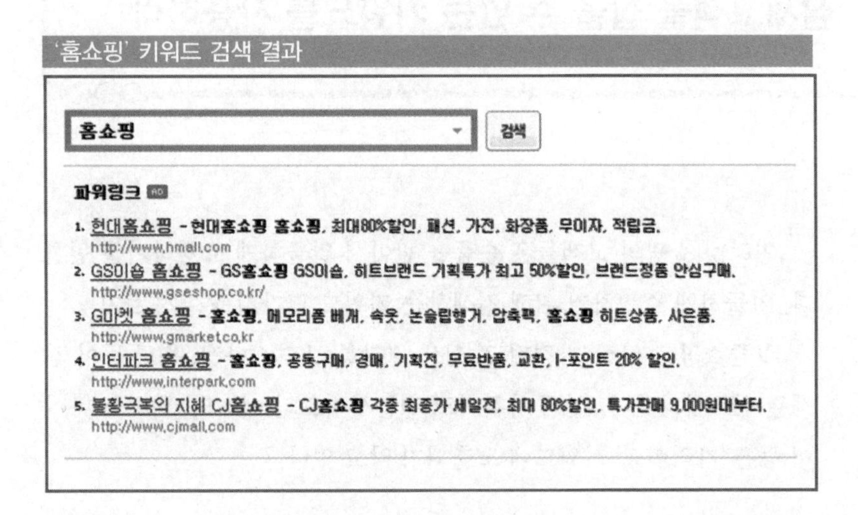

'옥션' 키워드 검색결과를 보면, G마켓이 검색결과로 나타난다. G마켓 설명문구에 경매을 뜻하는 '옥션'을 포함시켜 키워드에 검색될 수 있도록 하고 있다. G마켓이 쇼핑몰 옥션 고객까지 유치하려는 치열한 마케팅 단면을 볼 수 있다.

'옥션' 키워드 검색 결과

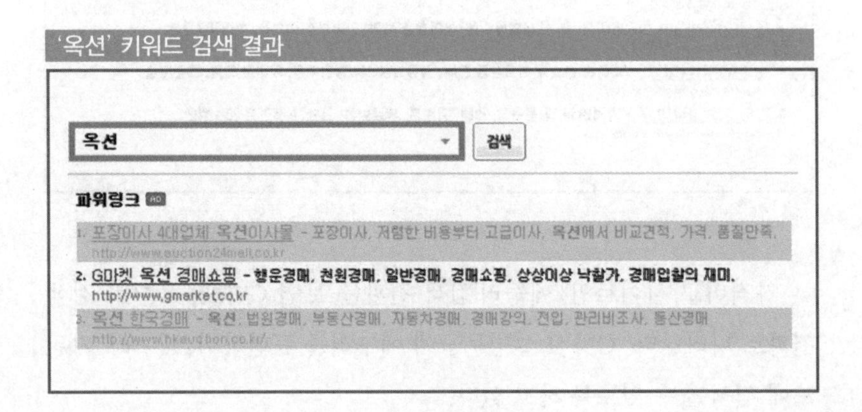

09

잠재고객을 잡을 수 있는 키워드를 사용하라

인터넷 쇼핑의 고객들은 손품을 팔아서 알뜰하게 쇼핑하기를 원한다. 알뜰하게 쇼핑하기 위해 검색하는 키워드 몇가지를 살펴 보자.

알뜰쇼핑을 위해 '가격비교' 검색 결과를 보면 G마켓, 옥션 등이 검색결과로 나타난다. 실제 가격비교 전문사이트인 에누리, 베스트 바이어 등은 '가격비교' 키워드에 노출되지 않고 있다.

'가격비교' 키워드 검색 결과

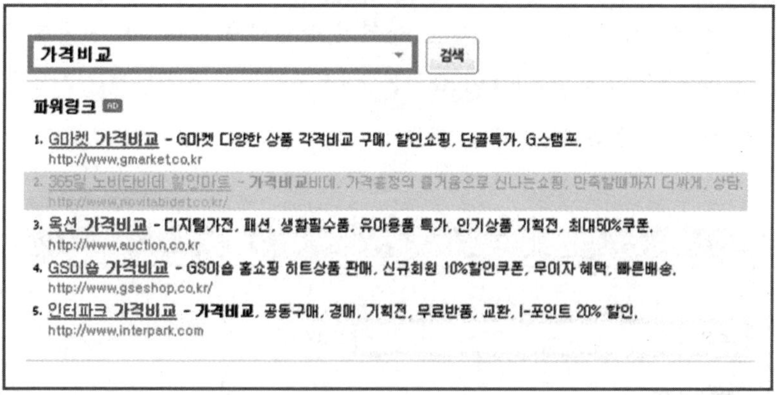

가격비교 검색

파워링크 AD

1. G마켓 가격비교 - G마켓 다양한 상품 각격비교 구매, 할인쇼핑, 단골특가, G스탬프.
http://www.gmarket.co.kr
2. 365일 노비타비데 할인마트 - 가격비교비데, 가격흥정의 즐거움으로 신나는쇼핑, 만족할때까지 더싸게, 상담.
http://www.novitabidet.co.kr/
3. 옥션 가격비교 - 디지털가전, 패션, 생활필수품, 유아용품 특가, 인기상품 기획전, 최대50%쿠폰.
http://www.auction.co.kr
4. GS이숍 가격비교 - GS이숍 홈쇼핑 히트상품 판매, 신규회원 10%할인쿠폰, 무이자 혜택, 빠른배송.
http://www.gseshop.co.kr/
5. 인터파크 가격비교 - 가격비교, 공동구매, 경매, 기획전, 무료반품, 교환, I-포인트 20% 할인.
http://www.interpark.com

가격비교 사이트인 '에누리'검색 결과를 보면 G마켓, 옥션이 검색 결과로 나타난다. G마켓 설명문구에 에누리를 표현하여 '에누리' 키워드에 검색될 수 있도록 하고 있다.

'에누리' 키워드 검색 결과

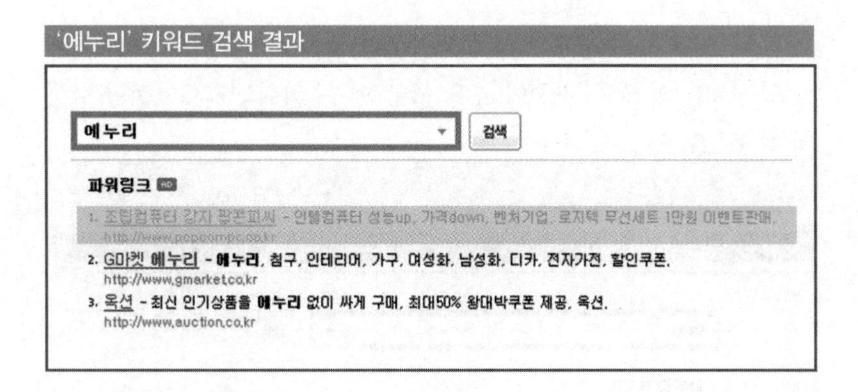

또한 할인혜택만 모아 놓은 '할인권' 검색 결과를 보면 G마켓이 검색결과로 나타난다. G마켓 설명문구에 할인권을 표현하여 '할인권' 키워드에 검색될 수 있도록 하고 있다.

'할인권' 키워드 검색 결과

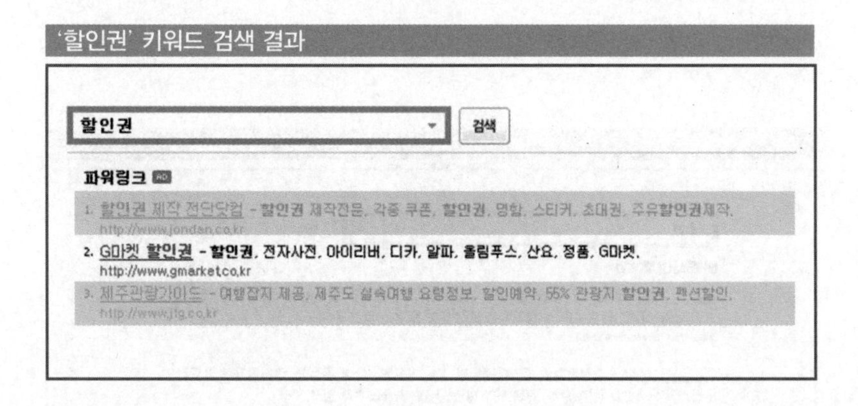

키워드 운영에서 G마켓은 알뜰하게 쇼핑하려고 하는 고객들이 검색하는 키워드에 항상 G마켓이 검색될 수 있는 치밀함을 보이고 있다.

또한 '야후'검색 결과를 보면 G마켓이 검색결과로 나타난다. 경제력 있는 40대의 방문 비중이 높은 포탈 '야후' 키워드에 G마켓이 검색될 수 있도록 하고 있다.

'야후' 키워드 검색 결과

우리나라 대표 기업인 '삼성' 검색 결과를 보면 G마켓이 검색결과로 나타난다. 많은 사람이 검색하는 기업 브랜드인 '삼성' 키워드에 G마켓이 검색될 수 있도록 하고 있다.

'삼성' 키워드 검색 결과

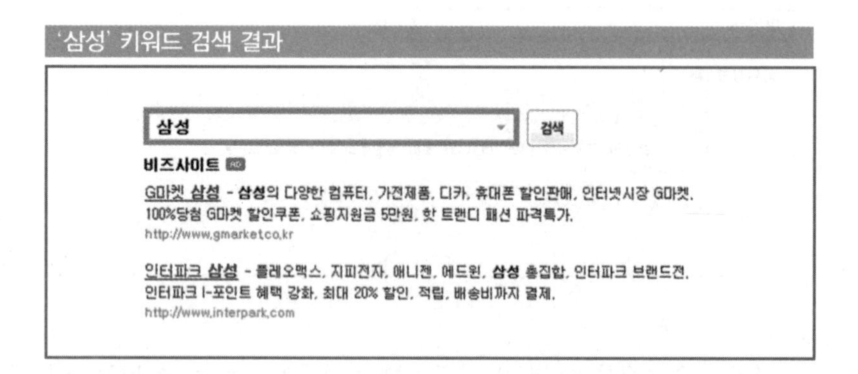

G마켓이 온라인에서 많이 검색하는 키워드를 통해 쇼핑 잠재고객을 유치하려는 치밀한 키워드 운영의 단면을 볼 수 있다.

10

포탈에서 공짜로 방문자를 모아라

쇼핑몰이 포탈에서 운영하는 서비스를 잘 활용하면 광고비를 지불하지 않고 방문자를 모을 수 있는 다양한 방법이 있다.

G마켓이 네이버에 운영 중인 'Starshop' 블로그

첫째, 블로그와 카페를 활용한다.

포탈의 블로그와 카페는 통합 검색결과에 항상 노출이 되므로 양질

의 정보를 지속 생산하게 되면 이를 통해 방문자를 공짜로 모을 수 있다.

G마켓의 경우 네이버에서 'Starshop'(스타샵) 블로그를 운영하고 있다. '스타샵' 매장은 G마켓을 패션 리더 쇼핑몰로 만든 대표 매장이다. 박 보영 등 G마켓에서 활동하는 연예인 이름을 네이버에서 검색하면 G마켓 스타샵 블로그도 검색 된다.

둘째, 네이버 지식인을 활용한다.

네이버에서 회원간에 궁금한 사항을 묻고 답하는 지식인을 활용한다. 지식인에 회원들이 질문을 올리면 쇼핑몰 담당자는 이에 대해 꼼꼼한 응답을 해줌으로써 쇼핑몰에 대한 이미지를 좋게 만들 수 있다. 실제 네이버 검색 담당자의 의견을 빌리면, 지식인 페이지에 부정적 질문과 부정적 답변이 많이 노출될 경우 해당 쇼핑몰의 방문자에 부정적 영향을 끼친다고 한다. 따라서 쇼핑몰은 브랜드 관리 차원에서 쇼핑몰 검색 페이지를 정기적으로 모니터링하고 관리하는 것이 필요하다.

G마켓에 관련된 네이버 지식인

지식iN

G마켓무통장입금이요ㅠ 2008.11.29
G마켓에서 님께 임시로 만들어준 G마켓계좌번호랍니다. 즉, 님(회원)만 G마켓에서 사용하는 G마켓전용계좌번호 입니다. 그리로 입금하면 다른사람은 못꺼내가고 오직 G마켓에서만 물건값으로 꺼내갑니다. 3. 님께서...
인터넷 쇼핑 | 답변수 1 · 추천수 2 · 조회수 7269

G마켓에서 물건 두개를 주문했는데, 하나는 발송예정, 하나는 발송요청 ㅠㅜ 2008.12.09
곧바로 발송될까요???? 제발 부탁드립니다 ㅠㅜ G마켓은 오픈마켓으로 G마켓에서 직접 물건을 팔지 않는답니다. G마켓은 판매할 사람들에게 그 장소만 제공하고, 안전하고 공정거래가 이루어 지도록 중개 역할을 ...
인터넷 쇼핑 | 답변수 2 · 추천수 0 · 조회수 3774

옥션 vs g마켓 vs 11st 혜택많은곳 추천부탁드립니다. 2008.12.04
옥션과 g마켓 가격이 틀려 문의를 해보니 상품올릴때 수수료가 틀리다고하더군요 ^^;; g마켓이 더 저렴하기에 가격도 저렴할수가있다는 말을 들은뒤 제가 자주구매하는 몇개 검색을해보니 ① g마켓이 더저렴하네요. ...
인터넷 쇼핑 | 답변수 1 · 추천수 1 · 조회수 3473

네이버 지식인의 G마켓 내용의 경우 ❶ 처럼 옥션보다 G마켓의 가격이 더 저렴하다는 내용이 보인다. 이런 내용을 보게 되는 잠재 고객들은 가능하면 가격이 더 저렴한 G마켓을 찾을 가능성이 높아 진다.

셋째, 네이버 지식쇼핑의 무료 노출 공간을 활용한다.

네이버의 지식쇼핑에는 광고주들이 무료로 노출할 수 있는 공간이 있다. 쇼핑몰 실무자들이 좀 더 잘 챙기면 '기획전 & 이벤트'와 '쿠폰북' 코너에 무료로 배너를 노출할 수 있다. '기획전 & 이벤트' 배너를 너무 많이 운영할 경우 집중도가 떨어지기 때문에 3페이지 이내에 배너가 운영될 수 있도록 하는 방법이 더 효과적이다. 시즌테마 중심의 이벤트나 가격 메리트가 높은 브랜드 상품의 기획전에 집중해서 30개내외로 운영하는 것이 더 효율적이다.

네이버 지식쇼핑에서 무료로 광고할 수 있는 영역 : 기획전&이벤트, 쿠폰북

'쿠폰북'에는 배너를 가능하면 많이 운영하는 것이 좋다. 쇼핑시 가격할인을 받을 수 있는 쿠폰은 다다익선이기 때문이다.

G마켓도 네이버 지식쇼핑에서 무료로 노출할 수 있는 영역에 기획전 및 할인쿠폰 배너를 노출해서 방문자를 유입하고 있다.

11

가격비교 사이트에서 상품 DB 매칭율을 높여라

쇼핑몰이 운영하는 주력 상품이 가전이냐 패션이냐에 따라 달라 지겠지만, 가격비교 사이트를 통해 매출이 일어나는 비중은 약 10~20% 정도이다. 고객들은 최소한의 비용으로 마음에 드는 상품을 구매하고자 하기 때문에 가격비교에서 최저 가격이 어느 정도이고, 어떤 쇼핑몰이 저렴한가에 대한 정보 수집을 한다.

실제 고객 조사 결과를 보면, 쇼핑몰 이용고객의 47.3%가 가격비교를 한 후 구매하는 것으로 나타났다.

가격비교 이용 현황(복수 응답)

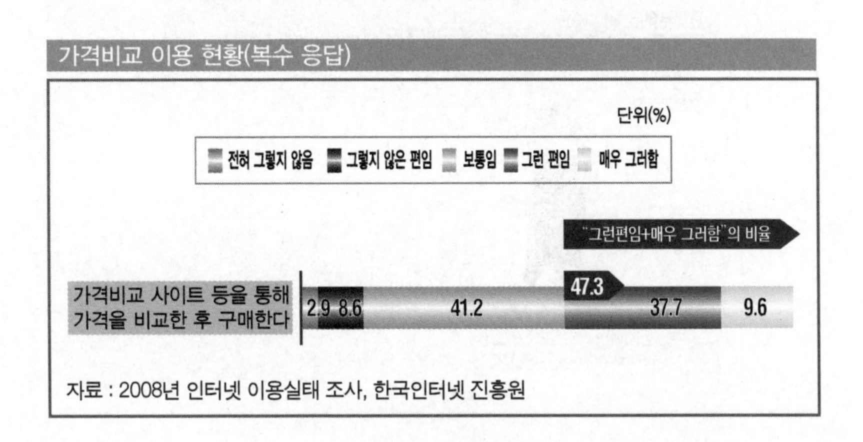

자료 : 2008년 인터넷 이용실태 조사, 한국인터넷 진흥원

정보수집을 위해 가격비교 사이트에서 키워드, 상품명, 상품 모델 번호를 검색하게 된다. 검색 결과 페이지를 보고 고객은 가격과 쇼핑몰 신뢰도를 복합적으로 고려하여 특정 쇼핑몰로 방문하여 구매를 하

게 된다.

따라서 쇼핑몰 입장에서는 검색결과 페이지에 자사의 상품이 노출이 되어야 고객의 선택을 받을 수 있게 된다. 이렇게 노출되는 것을 상품 DB가 매칭되었다라고 하고, DB 매칭율 (=가격비교 사이트에 노출되는 상품수/ 쇼핑몰에서 보내준 상품 DB수) 이라는 지표를 관리해야 한다.

가격비교 사이트에서 검색이 된 경우

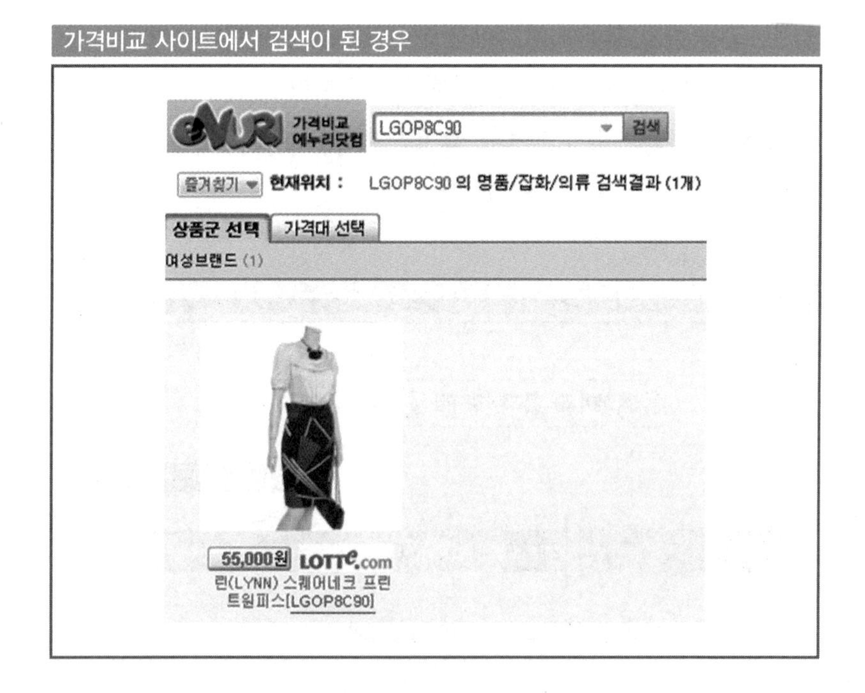

DB 매칭율은 상품 카테고리 특성 및 가격 비교 사이트의 DB운영 역량에 따라 10% ~ 40% 정도 범위에 있다. 네이버 가격비교, 에누리, 베스트 바이어 가격비교 사이트에서 상품 DB 매칭율을 높이면, 매출

상승 효과가 있다. 가격비교 사이트를 통해 매출이 발생되는 상품군을 보면, MP3 등 디지털 기기, 가전, 컴퓨터 등 가전상품이 50% 이상 차지한다. 따라서 이들 상품군의 DB매칭율을 집중 관리해야 한다. 핸드백, 지갑 등 패션잡화 상품은 상품의 모델 번호가 상품명에 들어 있어야 DB 매칭율이 높아 진다.

예를 들어, 롯데닷컴 상품인 원피스 모델 번호를 에누리에서 검색했을 경우 그림처럼 상품이 노출되어야 한다.

그러나, 상품 DB 매칭이 안되었을 경우 아래 그림처럼 검색결과가 없는 것으로 나타난다.

업무 담당자는 상품군별 주력 상품이 DB 매칭이 되어 가격비교에서 검색이 되는지 파악하고, 상품DB 매칭율을 지속 높여 나가야 한다.

가격비교 사이트에서 검색이 안 된 경우

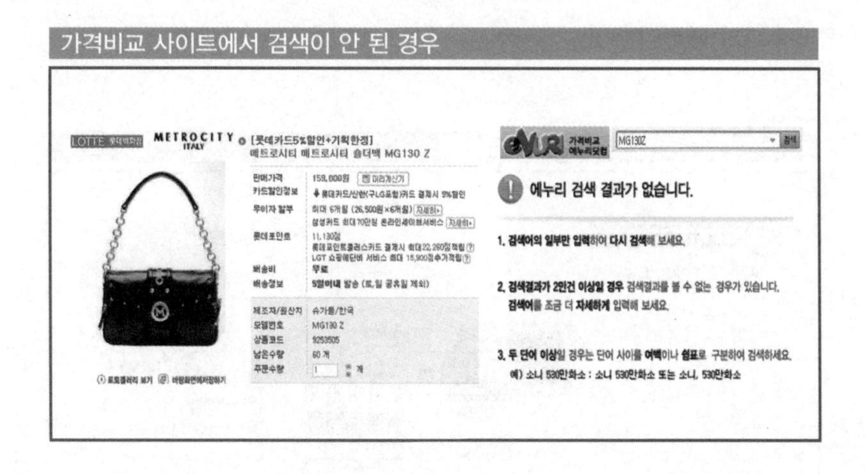

12

문화상품권으로 MP3 구매할 수 있게 하라

문화상품권을 선물로 받거나, 다른 사람에게 선물로 줘본 경험이 있을 것이다. 과거에는 책을 사거나 영화를 보는 문화 활동에 사용했다. 요즘은 문화상품권 사이트(cultureland.co.kr)에서 문화상품권 고유번호를 입력하면 인터넷에서 사용할 수 있는 컬쳐 캐쉬로 전환할 수 있다. 종이 문화상품권이 온라인 캐쉬로 전환되는 것이다. 이렇게 전환된 캐쉬는 문화상품권과 제휴한 쇼핑몰에서 MP3 등 원하는 상품을 구매하는 결제수단으로 사용할 수 있다.

다양한 상품을 가지고 있는 쇼핑몰이 문화상품권 사용처로서 안성맞춤이기 때문이다.

문화상품권으로 쇼핑할 수 있는 쇼핑몰

문화상품권 뿐만 아니라 도서상품권, 해피머니 상품권 등 다양한 상품권 사업자들이 시장을 키워나가기 위해 쇼핑몰과 제휴하여 고객들에게 쇼핑의 즐거움을 제공하고 있다.

쇼핑몰은 상품권 사이트로부터 방문자가 유입될 뿐만 아니라 거래액도 늘어 나는 효과를 얻을 수 있다.

13

제휴사의 포인트로 MP3 구매할 수 있게 하라

제휴 마케팅 업무를 할 때 이동통신사, 신용카드사를 집중 공략하였다. 왜냐하면 이들 산업은 경쟁사간에 고객 쟁탈전이 치열하고, 기존 고객을 유지하기 위해 고객관리 비용을 많이 사용하는 특성이 있기 때문이다. 이동통신사 중에서는 LG텔레콤을 제휴사로 개발하였다. LG텔레콤 고객들이 가지고 있는 ez머니 포인트로 쇼핑몰에서 상품을 구매할 수 있도록 하였다. 이를 통해 LG텔레콤은 기존 고객의 이탈을 방지할 수 있고, 쇼핑몰은 LG텔레콤 사용자를 방문자로 확보하여 추가 매출을 발생시킬 수 있다.

LG텔레콤 포인트로 쇼핑할 수 있는 쇼핑몰

카드사 중에서는 삼성카드를 제휴사로 개발하였다. 삼성카드 고객들이 가지고 있는 카드 포인트로 쇼핑몰에서 상품을 구매할 수 있도록 하였다. 이를 통해 삼성카드는 기존 고객을 지킬 수 있고, 쇼핑몰은 삼성카드 사용자를 방문자로 확보하여 추가 매출을 발생시킬 수 있다.

삼성카드 포인트로 쇼핑할 수 있는 쇼핑몰

CJmall.com	2+1% 적립	AUCTION	2% 적립	Gmarket	1% 적립	신세계몰	2.5% 적립
Hmall.com	2.8% 적립	GSeshop	2% 적립	INTERPARK	1.5% 적립	dnshop	2.5% 적립
ogage	2+1% 적립	SAMSUNG MALL	2% 적립	E-MART	2% 적립	알라딘	2% 적립
boribori	2+2% 적립	halfclub.com	3% 적립	[illegible]	4% 적립	r2oom	4% 적립
OTTO	3% 적립	KTFM&S	4% 적립	Sweet Propose Event 영화예매권/시계 증정 GO			

이동통신사, 카드사 뿐만 아니라 해피 포인트 등 마일리지를 가지고 있는 제휴사를 개발함으로서 쇼핑몰은 꾸준한 방문자를 확보할 수 있다. 고객은 마일리지를 사용함으로서 저렴하게 쇼핑했다는 만족감을 가질 수 있기 때문에 반복적으로 방문할 것이다.

14 방문자를 몰아주는 대행업체를 활용하라

포탈, 가격비교 등 방문자와 거래액 규모가 큰 곳은 쇼핑몰이 직접 제휴를 하여 방문자를 확보한다. 하지만 소규모 사이트, 커뮤니티 등으로부터 방문자를 확보하기 위해서는 이를 대행해주는 전문업체를 활용하는 것이 좋다.

제휴마케팅 대행업체로서 링크 프라이스, 아이라이크 클릭, 클릭 스토리, 인터리치가 있다. 쇼핑몰 입장에서는 거래액에 비례하여 1~2%의 수수료를 지급하기 때문에 비용 예측이 가능하다.

대행업체들이 방문자를 가져다 주는 사이트가 건전한 사이트인지, 정상적인 방법으로 방문자를 가져다 주는지 수시로 모니터링할 필요가 있다.

제휴 마케팅 대행업체 링크 프라이스

15 동영상 사이트에서 힘빼지 마라

유투브가 구글에 인수되는 것을 계기로 2007년 업계에서 판도라와 같은 동영상 사이트가 핫 이슈가 된 적이 있다. 동영상을 찾는 방문자가 급증하기 시작하면서 쇼핑몰에서는 방문자를 확보할 수 있는 게이트 웨이 역할을 할 수 있는지 관심을 가지기 시작했다. 하지만 동영상을 방문하는 사람은 쇼핑에 대해서는 거의 관심이 없는 사람들이다. 10~20대의 경제력이 없는 사람들이 대부분이고 시각적 호기심을 충족하기 위해 동영상 사이트를 방문하는 게 대부분이기 때문이다.

동영상 사이트와 제휴를 할 때는 제휴 수수료를 거래액과 비례하는 변동급제로 운영하고, 고정성으로 지급하는 방식은 쇼핑몰 입장에서 비용 대비 효율이 낮은 편이다.

동영상 사이트에서 조회가 높은 컨텐츠

16 방문자 유입 및 유출 사이트를 관리하라

쇼핑몰은 방문자가 어디서 유입되고, 어디로 빠져나가는 지를 꼼꼼하게 관리해야 한다. 그림에서 CJ몰의 경우, 방문자 유입 사이트 중 ❶ 네이버가 32% 정도를 차지하고 있다. 그리고 GS이숍, 롯데닷컴 등 경쟁 종합몰에서 유입되고 있음을 볼 수 있다. 반면 방문자가 유출하는 사이트로는 ❷ 네이버가 12% 정도를 차지하고 있으며, GS이숍 등 경쟁몰로도 유출되고 있음을 알 수 있다.

CJ몰의 방문자 유입 및 유출사이트 상위 10개

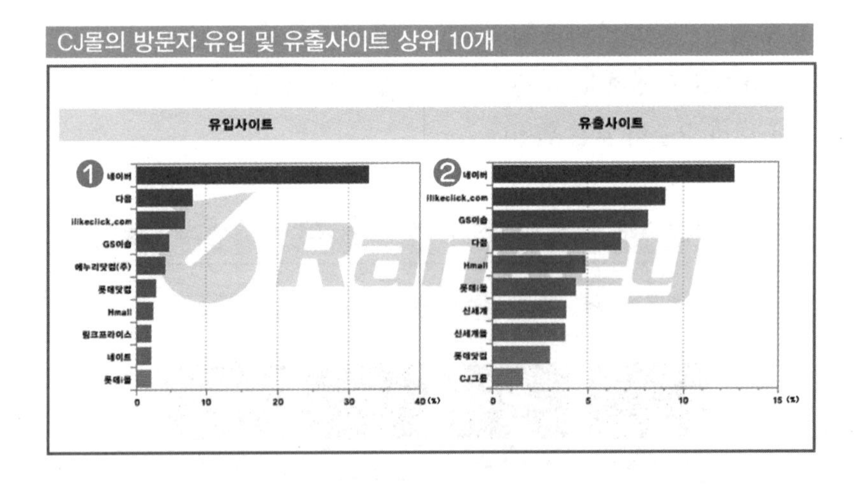

먼저 방문자 유입되는 사이트의 관리 포인트를 보자. 첫째, 네이버에서 유입되는 방문자를 좀 더 세분하여 관리해야 한다. CJ몰의 경우 네이버 쇼핑, 네이버 검색에서 많이 유입되지만, 네이버의 다른 영역

에서 방문자를 좀 더 높일 수 있는 아이디어는 없는지 고민할 근거가 생긴다. 둘째, 네이버에서 유입되는 방문자 비중을 좀 더 낮추는 방법을 찾아야 한다. 간접 방문자 유입 의존도가 특정 포탈에 편중 될 경우 쇼핑몰은 방문자 관리 정책에 주도권을 잃어 버릴 수가 있기 때문이다. 예를 들어, 네이버가 제휴 수수료를 올릴 경우 쇼핑몰은 비용 부담을 벗어날 수 있는 다른 대안이 없을 수도 있다. 셋째, 집중 관리해야 할 경쟁몰의 우선 순위를 정하고 마케팅 자원을 활용해야 한다. 경쟁몰의 가격이나 판촉정보를 알고 방문하는 고객을 쇼핑하게 만들기 위해 어떤 고객관리 정책을 사용해야 하는가를 고민해야 한다. 넷째, 가격비교 사이트에서 들어오는 방문자를 관리해야 한다. 상품 DB 매칭율이 올라가고 있는지를 먼저 확인해야 한다. 그 다음 상품별 가격 경쟁력이 있는지를 확인해야 한다.

또한 방문자 유출되는 사이트의 관리 포인트를 보자. 첫째, 네이버로 유출되는 방문자를 세분하여 관리해야 한다. CJ몰의 경우, 네이버 검색과 쇼핑으로 유출 비중이 높다. CJ몰에 방문한 고객이 필요한 정보를 추가적으로 입수하기 위해 네이버 검색으로 다시 이동하는 모습을 보이고 있는 것으로 해석할 수 있다.

CJ몰의 방문자 유입, 유출 네이버 상세 섹션

유입 사이트 : 네이버(www.naver.com)

번호	유입섹션	유입율
1	네이버 쇼핑(shopping.naver.com)	83.12%
2	네이버 검색(search.naver.com)	9.19%
3	네이버 이메일(mail.naver.com)	3.79%
4	네이버 뉴스(news.naver.com)	1.09%
5	네이버 카페(cafe.naver.com)	1.00%
6	네이버 블로그(section.blog.naver.com)	0.75%
7	네이버 지식검색(kin.naver.com)	0.60%
8	네이버 금융(finance.naver.com)	0.10%
9	네이버 지역정보(local.naver.com)	0.10%
10	네이버 자동차(auto.naver.com)	0.05%

유출 사이트 : 네이버(www.naver.com)

번호	유출섹션	유출율
1	네이버 검색(search.naver.com)	42.29%
2	네이버 쇼핑(shopping.naver.com)	29.18%
3	네이버 카페(cafe.naver.com)	9.48%
4	네이버 블로그(section.blog.naver.com)	8.00%
5	네이버 이메일(mail.naver.com)	4.75%
6	네이버 뉴스(news.naver.com)	1.54%
7	네이버 마이홈(homepage.naver.com)	0.80%
8	네이버 자동차(auto.naver.com)	0.80%
9	네이버 키친(kitchen.naver.com)	0.79%
10	네이버 지식검색(kin.naver.com)	0.79%

자료 : 랭킹닷컴, 2009년 1월 기준

둘째, 경쟁몰 중에서 집중 모니터 해야 할 곳을 파악하여, 마케팅 자원을 경쟁력 있게 활용해야 한다. CJ몰의 경우, GS이숍, H몰 등 홈쇼핑 계열의 경쟁몰로 고객이 많이 유출되고 있음을 알 수 있다.

제 3 부

직접 방문자 비중을 높여 나가라

포인트

- 간접 방문자를 쇼핑몰의 직접 방문자로 전환하기 위한 마케팅 방법을 이해한다.
- G마켓이 직접 방문자 비중을 높이기 위해 사용하는 마케팅 툴을 확인한다.

제 3 부 직접 방문자 비중을 높여 나가라

01 쇼핑몰로 직접 방문하게 하라

02 인터넷 시작 페이지를 점령하라

03 바탕화면에 바로가기 아이콘을 심어라

04 즐겨찾기 하게 하라

05 쇼핑몰에 직접방문하면 2% 더 주어라

01 쇼핑몰로 직접 방문하게 하라

게이트 웨이를 통해 간접 방문자를 최대한 모은 후, 쇼핑몰은 재방문 부터는 직접 방문하게 만드는 마케팅을 해야 한다.

쇼핑몰의 브랜드 인지도, 쇼핑 정보 탐색 등 여러 요인에 의해 간접 방문자 비중이 70% 이상 되는 경우도 있다. 간접 방문자 비중이 많을수록 쇼핑몰 입장에서는 제휴수수료 비용이 많이 발생하게 된다. 쇼핑몰의 규모에 따라 다르지만 통상 거래금액의 1~4% 사이의 제휴수수료 비용이 발생한다. 월 100억 거래금액이 발생하는 쇼핑몰의 경우 많게는 4억 정도의 제휴수수료가 발생할 수 있다.

쇼핑몰 사업의 거래액 대비 영업이익율이 1~3% 수준임을 감안 한다면, 제휴수수료 절감에 많은 아이디어를 동원하여 직접 방문자를 늘려 나가야 한다. 직접 방문자를 늘리기 위해 시작 페이지 설정하기, 바탕화면 저장하기, 주소창 입력, 즐겨찾기 설정하기 등 다양한 방법을 동원해야 한다.

G마켓은 직접 방문자를 늘리기 위해 다양한 마케팅을 하고 있다. 그림에서 보면 우선 ❶ 직접방문하는 고객을 플러스 고객으로 정의하여, 고객들에게 직접방문하면 뭔가 혜택을 제공한다는 커뮤니케이션을 하고 있다. ❷ 직접방문을 확대하기 위한 마케팅 수단으로 주소창 직접입력, 바로가기 설치하기, 즐겨찾기 등록하기, 시작페이지로 등록하기, 툴바 설치하기, 바탕화면 다운로드 등 다양한 방법을 사용하고

있다. 또한 ❸ 직접방문하면 G스탬프 응모 등 다양한 혜택을 받을 수 있다.

G마켓의 직접 방문자 확대를 위한 마케팅 방법

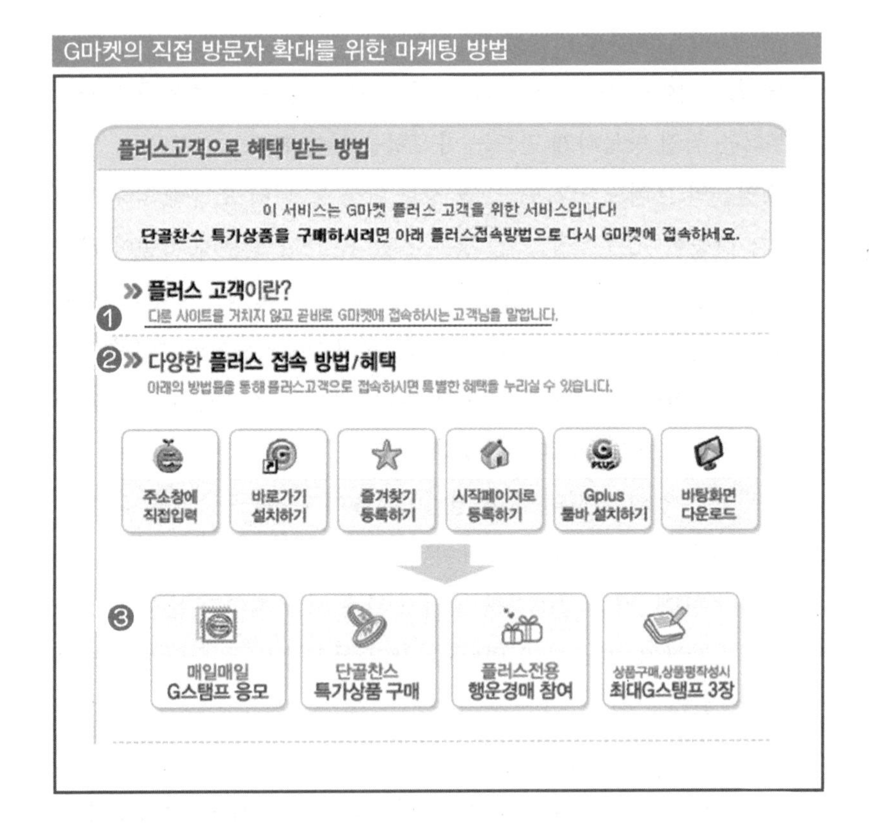

다음 그림에서 보듯이 G마켓은 검색 결과 페이지에서 ❶ 단골찬스 상품을 리스팅하고, 직접방문한 고객만 구매할 수 있도록 하고 있다.

G마켓의 직접 방문자 확대를 위한 단골찬스 상품 리스팅

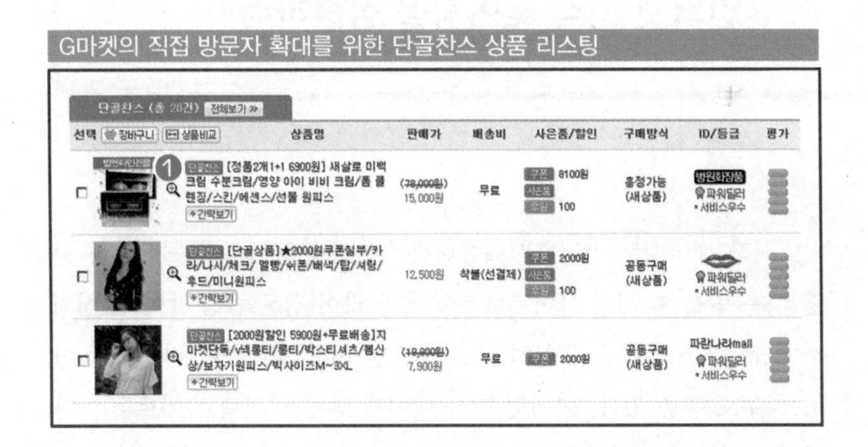

그리고 간접방문으로 회원 가입한 고객에게는 메일을 통해 직접방문에 대한 혜택을 알려줘서 직접방문하게 유도해야 한다.

02

인터넷 시작 페이지를 점령하라

"시작 페이지로 설정하시겠습니까?" 인터넷을 이용하다가 툴바 등을 다운 받을 때 해당 사이트로부터 가장 많이 질문 받는 말이다. 심지어 다운 받을 항목을 유심히 보지 않으면 시작 페이지가 바뀌어져 있는 경우도 종종 있다. 이처럼 시작 페이지 점령을 위해 사이트들 마다 다양한 마케팅을 펼친다.

시작 페이지는 인터넷을 이용할 때 처음 시작되는 인터넷 사이트를 말한다. 시작 페이지 이용자를 많이 확보할수록 직접 방문하는 이용자가 많아 지게 된다. 랭키닷컴의 시작페이지 점유 상위 15개를 보면 시작 페이지 상위권은 포탈이 차지하고 있지만, 쇼핑몰로서는 유일하게 G마켓이 포함되어 있다.

시작 페이지 점유 상위 15개사이트

전체 순위	사이트/섹션명	소분류 명	중분류 명	시작페이지 일 평균 1인당 페이지 뷰	시작페이지 일 평균 방문자 수
1 -	네이버	종합포털	종합포털	6.19	6,999,522
2 -	다음	종합포털	종합포털	5.81	2,823,556
3 ▲	구글 한국어	전문검색	인터넷검색	3.90	151,360
4 ▼	야후코리아	종합포털	종합포털	5.74	260,964
5 ▼	넷마블	게임포털	게임포털	3.81	81,192

6 ▼	엠파스	종합포털	종합포털	5.92	120,909
7 ▼	파란닷컴	종합포털	종합포털	4.89	82,933
8 ▲	디비고	다운로드/파일공유(P2P)	웹서비스	2.32	35,403
9 ▼	네이트	종합포털	종합포털	5.38	91,865
10 -	싸이월드	커뮤니티 포털	커뮤니티 포털	3.98	16,747
11 ▲	이이이케이알	전문검색	인터넷검색	2.78	8,602
11 ▲	가자아이	링크모음	인터넷검색	4.20	13,132
13 ▲	피파 링크	링크모음	인터넷검색	2.97	13,691
13 -	메가패스	ISP	정보통신서비스	3.69	9,149
15 ▼	G마켓	온라인마켓플레이스	종합쇼핑	5.15	12,298

쇼핑몰도 시작페이지 설정하기 기능을 고객들에게 적극 권유하는 활동을 해서, 직접 방문자 비중을 높여가야 한다.

03

바탕화면에 바로가기 아이콘을 심어라

직접방문을 촉진하기 위한 방법으로 바탕화면에 바로가기 아이콘을 생성하는 방법이 있다. 아이콘만 클릭하면 쇼핑몰로 바로 방문할 수 있다.

바탕화면에 저장된 G마켓 바로가기 아이콘

GPluszon...

G마켓은 나아가서 상품 페이지에 바탕화면 저장하기 기능을 개발하여 고객의 관심 상품을 바탕화면에 저장할 수 있도록 하고 있다. 예를 들어 블라우스 셔츠가 마음에 들어서 바탕화면에 저장하고 싶으면, ❶ 바탕화면 저장을 클릭하면, ❷ 처럼 바로가기 이미지가 생성된다.

G마켓의 바탕화면 저장 마케팅 방법

04

즐겨찾기 하게 하라

직접 방문하는 방법으로 즐겨찾기가 있다. 방문자의 북마크 폴더에 쇼핑몰을 즐겨찾기 해두고 바로 오는 방법이다.

G마켓 메인 페이지 즐겨찾기 아이콘을 클릭하면 그림과 같이 즐겨찾기를 안내하는 팝업 페이지를 통해 북마크해 둘 수 있다.

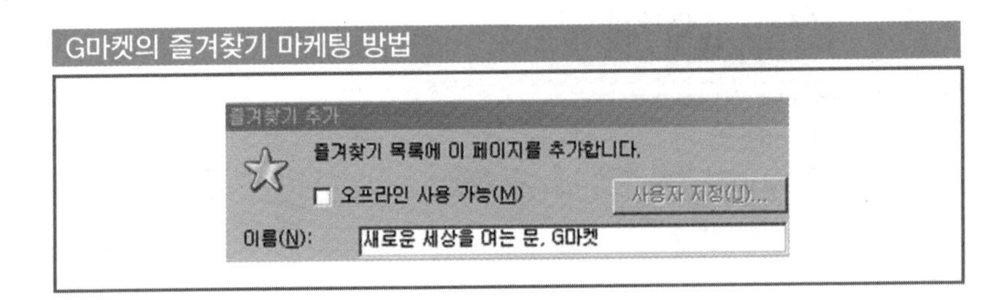

G마켓의 즐겨찾기 마케팅 방법

실제 고객 간담회를 통해 자주 방문하는 쇼핑몰의 방문방법을 들어보면 즐겨찾기 마케팅의 중요성을 확인할 수 있다. 고객이 처음에는 여기저기 쇼핑을 하다가 마음에 드는 쇼핑몰을 즐겨찾기 해둔다. 다음에 방문할 때는 즐겨찾기 한 쇼핑몰만 방문한다.

또한 간담회 참석한 고객 한 분은 다른 쇼핑몰에 회원가입 하기 싫어서 즐겨찾기 한 곳만 이용한다. 개인정보 유출 이슈도 있고 아이디, 패스워드 관리도 번거롭기 때문에 즐겨찾기 쇼핑몰만 이용한다.

이외에도 직접방문 비중을 높여 나가는 마케팅을 통해 쇼핑몰의 수익성을 높일 수 있다.

직접 방문 촉진하는 마케팅 방법

구분	주요 내용
시작 페이지	인터넷 시작할 때 방문하는 방법
바탕 화면	쇼핑몰 바로가기 아이콘 생성하여 방문하는 법
	상품 바로가기 이미지 생성하여 방문하는 법
툴바	브라우저에서 바로 갈 수 있는 툴을 통해 방문하는 법
즐겨찾기	북마크 폴더에 저장해 두고 방문하는 법
주소창 입력	직접 주소창에 입력하여 방문하는 법

05

쇼핑몰에 직접방문하면 2% 더 주어라

직접방문한 고객에게 특별한 혜택을 제공하라. 게이트 웨이에게 주는 제휴수수료 1~4%를 직접 방문한 고객에게 혜택을 주라는 것이다. 이렇게 함으로써 쇼핑몰은 충성심 높은 고객을 한명씩 늘려 나갈 수 있다.

간접방문하는 고객들은 포탈 사이트에서 경쟁 쇼핑몰의 미끼 상품에 뺏길 수도 있고, 가격비교를 하고 오기 때문에 쇼핑몰 입장에서는 돈이 별로 되지 않을 수 있다.

G마켓이 직접방문 고객에게 혜택을 주는 매장

G마켓은 직접 방문하는 고객들에게만 혜택을 주는 플러스 존을 운영하고 있다. 플러스 존에서는 ❶ 매일 G스탬프 1장 (G마켓내에서 200원의 가치가 있음)을 받을 수 있는 이벤트에 응모할 수 있다. ❷ 매월 G마켓 선물권 2만원을 응모할 수 있다. ❸ 플러스 전용 행운경매에 응모할 수 있는 등 다양한 혜택을 제공하고 있다.

G마켓은 직접 방문자에게 특별한 혜택을 제공함으로써 처음에 간접방문하였지만 재방문시에는 직접방문할 수 있도록 마케팅하고 있다. 직접방문자 비중을 높여 나감으로써 G마켓을 이용하는 충성고객 수를 점차 늘려나갈 뿐만 아니라 제휴수수료도 점차 줄여나갈 수 있는 1석 2조의 효과를 내고 있다.

쇼핑몰에서 직접방문하는 고객이 간접방문하는 고객보다 구매 전환율도 높다. 따라서 쇼핑몰은 간접방문자를 확보한 다음에는 최대한 직접방문으로 유도하는 마케팅을 해야한다.

우리는 지금까지 인터넷 쇼핑몰 성공요소 첫번째인 방문자 확대를 위해 간접방문과 직접방문을 확대할 수 있는 전략의 실행내용을 살펴보았다.

다음에는 인터넷 쇼핑몰 성공요소 두번째인 구매 전환율을 제고하기 위해 어떠한 전략을 실행해야 하는가를 살펴보자.

제 4 부
충성 고객님으로 만들어라

포인트

- 방문자 → 신규회원 → 구매고객 → 충성고객의 고객관리 틀을 이해한다.
- G마켓의 직접방문 → 구매고객 → 단골고객 → VIP고객 루프를 확인한다.

제 4 부 충성 고객님으로 만들어라

01 고객 관리의 틀을 가져라

02 신규회원을 귀하게 모셔라

03 기존 사업을 이용하는 고객을 최우선 모셔라

04 구매할 때마다 쌓이는 혜택을 주어라

05 단골고객에게 폼나는 혜택을 주어라

06 지속적으로 구매하는 충성 고객님으로 만들어라

07 G마켓의 충성고객 전환 루프를 이해하라

01

고객 관리의 틀을 가져라

방문자를 증가시키고, 구매 고객으로 전환시키기 위해서는 고객 관리의 틀을 머리 속에 인지하고 있어야 한다. 고객 관리의 틀은 크게 보면 방문, 회원 가입 그리고 구매 고객의 3가지 흐름으로 정리할 수 있다.

고객 관리의 틀

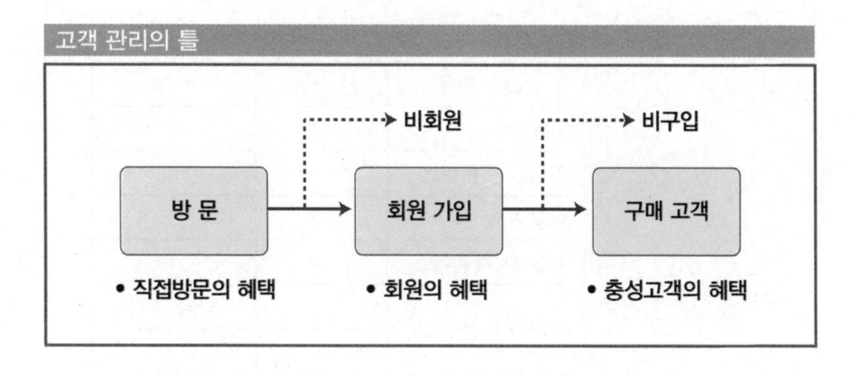

방문 고객 관리에서는 직접방문시의 혜택을 명확히 제공해야 한다. 회원 가입 관리에서는 회원의 혜택을 제공하여 방문한 잠재 고객이 최대한 쇼핑몰의 회원이 되도록 해야 한다. 회원 가입이 되어야 메일, SMS 등 커뮤니테이션 활동을 시작할 수 있기 때문이다. 회원 가입 이후에는 첫 구매, 재구매 등 구매활동을 지속적으로 할 수 있도록 구매고객에 대한 혜택을 제공해야 한다.

G마켓의 경우, 약 1,570만명을 회원으로 확보하고 있으며, 직접방문, 회원가입 및 구매고객을 구분하여 관리하고 있다.

G마켓의 고객관리 주요 활동

구분	주요 내용
직접 방문의 혜택	• 플러스 존에서 G스탬프, 행운경매 응모 등 다양한 혜택을 제공함
회원 가입의 혜택	• 회원가입시 신용점수 +5점 부여함
구매 고객의 관리	• 쇼핑활동에 따라 신용점수 가감하여 관리함

쇼핑 활동	신용점수	비 고
구매완료	+1	
미입금 주문취소	−2	
낙찰취소	−2	
낙찰 후 체결취소	−4	
무하자 주문취소	−2	입금 대기
	−3	배송요청 이후
하자 주문취소	−1	
무하자 반품	−1	
하자 반품	−1	

• 신용점수가 0점이 되면, 마일리지 혜택이 소멸되고, −20점이 되면 거래가 불가능함

직접 방문의 경우, 플러스 존에서 저렴하게 상품을 구매할 수 있는 혜택을 제공하고 있다. 회원 가입의 경우, 신용점수 5점을 제공하여 빨리 단골 고객으로 될 수 있는 혜택을 주고 있다. 또한 구매 고객의 경

우 한 건 구매완료 할 때마다 신용점수를 제공하고, 취소 및 반품 활동에 대해서는 신용점수를 차감하여 관리하고 있다.

여기서 G마켓이 고객을 관리하는 틀의 특성을 생각해보자. 첫째, 고객관리 기준이 신용점수로 단순하게 관리된다. 신용점수가 구매완료 할 때마다 1점씩 증가한다. 반면 취소, 반품을 하게 되면 신용점수가 감소하는 구조를 가지고 있다. 관리의 단순화를 통해 시스템적으로 실시간으로 고객의 신용점수가 관리되는 틀을 가지고 있다. 이렇게 될 경우 고객에게 빠른 피드백이 가능하고, 고객도 일정 수준이상의 신용점수가 될 경우 혜택을 즉시 누릴 수 있다.

둘째, 구매금액은 고객의 신용점수에 영향을 주지 않는다. 컴퓨터, 가전 등 고단가 상품의 수수료가 4~8%로 낮은 편이다. 반면 패션 등 저단가 상품의 수수료가 10~12%로 높은 편이다. 즉, 수수료가 높은 저단가 상품의 판매가 주력이기 때문에 고객관리에서 구매금액은 크게 고려하지 않는 특성을 가지고 있다.

셋째, 불량고객을 관리하고 있다. 신용점수가 -20점인 고객이 로그인할 경우 거래가 불가능하게 하여, 취소 또는 반품이 많은 불량고객으로부터 판매자를 보호해 주고 있다.

02

신규회원을 귀하게 모셔라

신규회원은 사업성장의 원동력이다. 특히 산업의 라이프 사이클이 초기 및 성장 단계에 있는 기업들은 신규회원 확보에 마케팅 자원을 집중 투입해야 한다. 쇼핑몰 산업 초기단계인 2000년대 초반기에 마케팅 업무를 할 때 신규회원 확보에 총력을 기울였다. 회원가입 하면 적립금 5,000원, 일주일 마다 노트북 경품을 제공하고, 당첨자 사진을 팝업으로 메인 페이지에 노출 하는 활동을 전개했다.

또한 이렇게 모아진 회원은 새로운 사업을 시작할 때 신사업을 소프트 랜딩 시킬 수 있는 힘이 된다. 예를 들면, 도서 전문몰로 시작한 YES 24가 티켓 사업을 새로 시작하여 순항할 수 있는 배경에는 기존에 모여진 회원이 도움을 줄 수 있기 때문이다.

신규회원에 관련된 지표도 관심있게 관리해야 한다. 첫째, 신규회원의 가입규모이다. 매일 몇 명의 신규회원이 확보되는지, 가입되는 채널별로 신규회원 규모는 어떻게 되는지를 파악해야 한다. 둘째, 신규회원의 품질이다. 신규 등록한 회원의 기본 정보는 충실한지, 신규회원이 최초 쇼핑을 얼마나 하는 지를 파악해야 한다. 셋째, 전체 거래액에서 신규회원의 비중이다. 매월 신규회원에 의해 발생되는 거래액이 어느 정도인지를 파악해야 한다. 신규회원에 의한 거래액이 증가할 경우 신규회원 확보를 위한 마케팅에 자원 투입을 집중해야 한다. 반면 신규회원에 의한 거래액이 감소할 경우, 기존고객을 지키기 위한 마케팅 활동으로 자원 투입을 조정해야 한다.

03

기존 사업을 이용하는 고객을 최우선 모셔라

며칠전 롯데 백화점에서 배달되어온 쿠폰 내용 중에서 롯데닷컴의 백화점 상품을 구매하면, 10%를 적립해준다는 것이 있었다. 이러한 것은 기존 백화점 고객을 쇼핑몰 고객으로 몰아 주는 마케팅 활동이다. 롯데닷컴의 성장 배경에는 롯데 백화점 고객의 힘이 뒷받침 되었을 것이다.

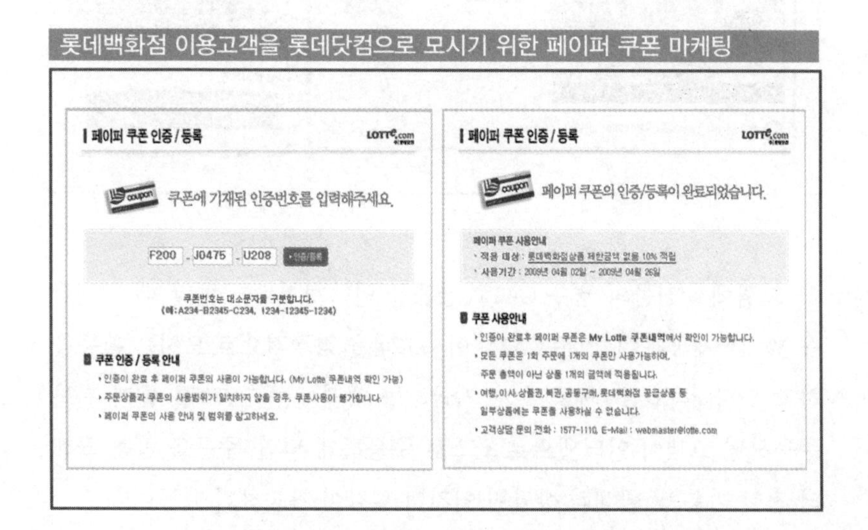

롯데백화점 이용고객을 롯데닷컴으로 모시기 위한 페이퍼 쿠폰 마케팅

기존 쇼핑 채널 하나만 이용하는 고객보다는 인터넷 등 다양한 쇼핑 채널을 이용하는 고객의 쇼핑금액이 훨씬 많다. 홈쇼핑 계열의 쇼핑몰이 기존 CATV 쇼핑 고객을 인터넷 쇼핑 고객으로 적극 전환하여

쇼핑몰의 선두 자리를 유지하고 있는 것도 같은 맥락이다.

따라서 기존의 쇼핑 채널을 이용하고 있는 고객을 쇼핑몰 회원으로 최우선 모셔와야 한다. 멀티 쇼핑 채널을 이용하는 고객이 한 개의 쇼핑 채널을 이용하는 고객보다 충성도가 높고 쇼핑 구매금액도 많다.

CATV 쇼핑 채널 이용고객을 쇼핑몰로 모시기 위한 코너

그림에서 H몰의 경우 CATV 상품을 인터넷으로 구매할 때 적립금을 3% 더 제공하여, 기존 CATV 이용고객을 적극적으로 모시는 활동을 하고 있다. 적립금 3%를 추가 지급하는 배경에는 CATV를 통해 전화 주문하던 고객이 인터넷으로 스스로 주문하게 되면, 주문을 받는 콜센터 전화 비용 및 콜센터 상담원 인건비 절감이 가능하기 때문이다.

그리고 멀티 쇼핑 채널을 이용하는 고객 수가 지속적으로 증가하고 있는지를 CEO가 직접 관리해야 한다. 왜냐하면 사업 단위간에 고객을 이동시켜 주는 것이 하나의 사업을 책임지는 사업부장 입장에서는 기

득권을 빼앗기는 느낌이 들고, 향후 성과에 나쁜 영향을 줄 수 있다라고 생각하기 때문이다.

반면 회사 전체 입장에서 보면, 기존 채널의 공간적, 시간적 한계를 벗어나기 위해서는 인터넷 쇼핑몰로 고객을 이동시키는 활동을 적극적으로 추진해야 한다. 그럼으로서 인터넷 쇼핑몰을 통해 기존 쇼핑채널을 이용하는 고객을 지속 유지할 수 있다.

즉, 복수의 쇼핑채널을 가지고 있는 사업자는 고객을 인터넷 쇼핑몰로 이동시켜서 충성고객으로 유지하려는 마케팅을 해야한다. 이처럼 인터넷 쇼핑채널을 통합 쇼핑 플랫폼으로 진화시키는 전략을 실행해야 회사전체 성과도 향상된다.

04

구매할 때마다 쌓이는 혜택을 주어라

쇼핑몰 사업의 건전성을 파악하는 지표로서 일인당 구매빈도가 있다. 일인당 구매빈도가 높아질수록 고객의 충성도가 높아진다고 할 수 있다. 마케팅 측면에서 구매빈도를 높이기 위해서 고객에게 다양한 혜택을 제공하는데 G마켓은 행운성 혜택, 쌓이는 혜택 등을 제공하고 있다.

G마켓의 구매 고객에게 제공하는 혜택

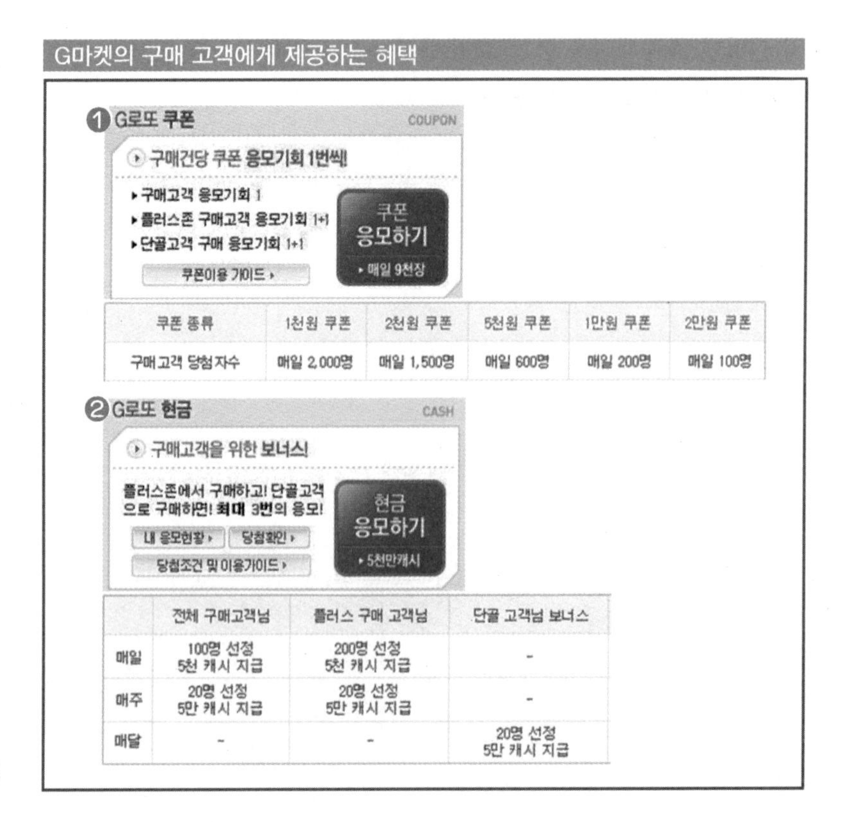

쿠폰 종류	1천원 쿠폰	2천원 쿠폰	5천원 쿠폰	1만원 쿠폰	2만원 쿠폰
구매고객 당첨자수	매일 2,000명	매일 1,500명	매일 600명	매일 200명	매일 100명

	전체 구매고객님	플러스 구매 고객님	단골 고객님 보너스
매일	100명 선정 5천 캐시 지급	200명 선정 5천 캐시 지급	-
매주	20명 선정 5만 캐시 지급	20명 선정 5만 캐시 지급	-
매달	-	-	20명 선정 5만 캐시 지급

G마켓은 구매 완료할 때마다 ❶ G로또 쿠폰, ❷ G로또 현금에 응모할 수 있는 행운성 혜택을 주고 있다. 매일 9천장 제공되는 G로또 쿠폰과 매일 5천만원 현금 이벤트를 제공하여 재구매 하는 것을 촉진하고 있다. 또한 구매 완료할 때마다 고객의 신용점수를 1점씩 쌓이게 하여, 단골고객이 되도록 구매 자극을 하고 있다.

G마켓의 구매 고객 신용점수 관리 사례

○ 신용점수 내역

발생일	적용내용	적용점수	비고
2008-02-05	구매완료	1	-
2008-02-04	무하자 상품 체결취소	-3	-
2008-02-04	구매완료	1	-
2007-07-26	구매완료	1	-
			신용점수 총합 : 16

05

단골고객에게 폼나는 혜택을 주어라

G마켓은 일반고객을 단골고객으로 만드는데 자원 투입을 가장 많이 하고 있는 것 같다. 단골고객은 신용점수 20점 이상으로 직접방문한 고객으로 정의된다. 신용점수 20점이 될려면 회원가입하여 5점을 받은뒤, 15회의 상품을 구매완료한 경우에 달성 가능하다.

G마켓의 단골 고객에게 제공하는 혜택

단골고객이 되면 상품 구매시 1~5% 상시 할인혜택을 받을 수 있는 단골고객 전용 할인쿠폰 받기 이벤트에 응모할 수 있다. 또한 단골 찬스 상품 매장을 이용할 수 있는 데, 이 매장은 상품구매 등으로 보유하고 있는 G스탬프나 마일리지를 차감하는 조건으로 특별히 할인된 가격에 구매가 가능하다. 그림의 ❶에서 보듯이 G스탬프 1장으로 핸드폰 케이스를 교환할 수 있는 혜택을 누릴 수 있는 것이다.

G마켓은 회원 로그인 후에 나타나는 개인화 페이지인 '나의 쇼핑정보'에서 단골고객이 폼나게 누릴 수 있는 정보를 많이 제공하고 있다. 단골고객이 되면 할인쿠폰을 받을 수 있고, 단골 찬스 상품에서 구매도 할 수 있는 혜택을 제공한다.

G마켓의 '나의 쇼핑정보'에서 단골 고객에게 제공하는 혜택 공지 내용

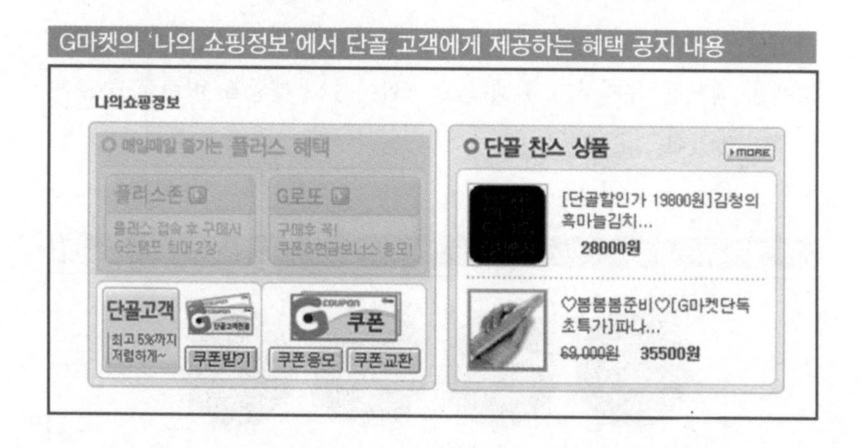

이렇게 함으로써 회원들이 단골고객이 되고 싶도록 지속적으로 자극하는 마케팅을 하고 있다.

06

지속적으로 구매하는 충성 고객님으로 만들어라

우리 쇼핑몰만 이용하는 충성고객으로 만들어라! 충성고객을 만드는 것은 쇼핑몰을 운영하는 모든 경영자들의 희망 사항이다. G마켓은 충성고객을 VIP 고객으로 분류하여 섬세하게 관리하고 있다. G마켓의 VIP 고객은 매월 말일 기준으로 신용점수 50점 이상이면서 최근 3개월 5점 이상 신용점수를 적립한 구매 회원으로 정의하고 있다.

여기서 G마켓이 단골고객과 VIP 고객을 관리하는 차이점을 하나 발견할 수 있다. 단골고객은 회원가입후 누적된 구매완료 점수만을 가지고 관리하지만, VIP 고객은 누적점수 뿐만 아니라 최근 3개월 동안 5점이상 적립해야 가능하다는 점이다. 따라서 한번 50점 이상이된 VIP 고객은 혜택을 유지하기 위해 최소 5회이상 구매완료 버턴을 누르게 만들어 놓았다.

G마켓의 VIP 고객에서 제공하는 4가지 혜택

즉 G마켓의 20점인 단골고객이 30번의 구매완료를 하면 신용점수가 50점이 되어 VIP 고객으로서 크게 4가지 혜택을 누릴 수 있다. 첫째,

VIP 전용 할인쿠폰을 제공한다. 월 1회 메일을 통해 제공된다. 둘째, 반품시 배송비 무료 이다. 3만원 이상 상품으로 월 10회까지 반품 배송비를 G마켓에서 지원해 준다. 셋째, 전용 콜 서비스 이다. 넷째, VIP 만 참여할 수 있는 이벤트를 제공한다. 쇼핑할 때 혜택이 되는 할인쿠폰 뿐만 아니라 오프라인 서비스 상품을 이용할 수 있는 e쿠폰, MP3 다운로드, 시사회 초청 등 문화 상품을 즐길 수 있는 혜택도 제공한다.

G마켓의 VIP 전용 이벤트

07

G마켓의 충성고객 전환 루프를 이해하라

G마켓이 고객을 관리하는 정책은 통상 RFM (Recency, Frequency, Monetary) 기준으로 관리하는 방법과는 다른 면이 있다. 고객관리하는 방법 중 가장 대중적으로 사용되는 RFM 방법은 통상 최근 6개월 동안, 얼마나 자주, 얼마나 많이 구매 하였는가를 기준으로 고객을 몇개의 등급으로 나누어 관리하는 것이다. 예를 들면, 신세계몰의 경우 6개월 동안 구매한 고객을 구매회수와 구매 금액이 많은 집단순으로 다이아몬드, 플레티넘, 골드, 사파이어, 루비, 에메랄드 6개 등급으로 구분하여 할인쿠폰 등 오퍼를 제공하고 있다. CJ몰은 RFM에 의해 5개 등급으로 관리하고 있다. 따라서 고객이 자기의 등급을 확인하고 혜택을 즐기는 것이 월 단위로 변화가 생긴다.

반면 G마켓은 구매완료를 할 때 마다 신용점수를 부여하기 때문에 고객은 구매완료 시점마다 고객 자신의 등급을 확인하고 혜택을 즉시에 즐길 수 있다. 그리고 구매금액이 얼마냐 보다는 구매빈도를 중요한 지표로 관리하고 있음을 알 수 있다. G마켓에서 구매금액은 고객등급을 구분하는데 아무런 영향요인이 아닌 것이 특이하다. 빠른 피드백이라는 인터넷의 특성을 충분히 반영한 G마켓의 고객관리 방식이다.

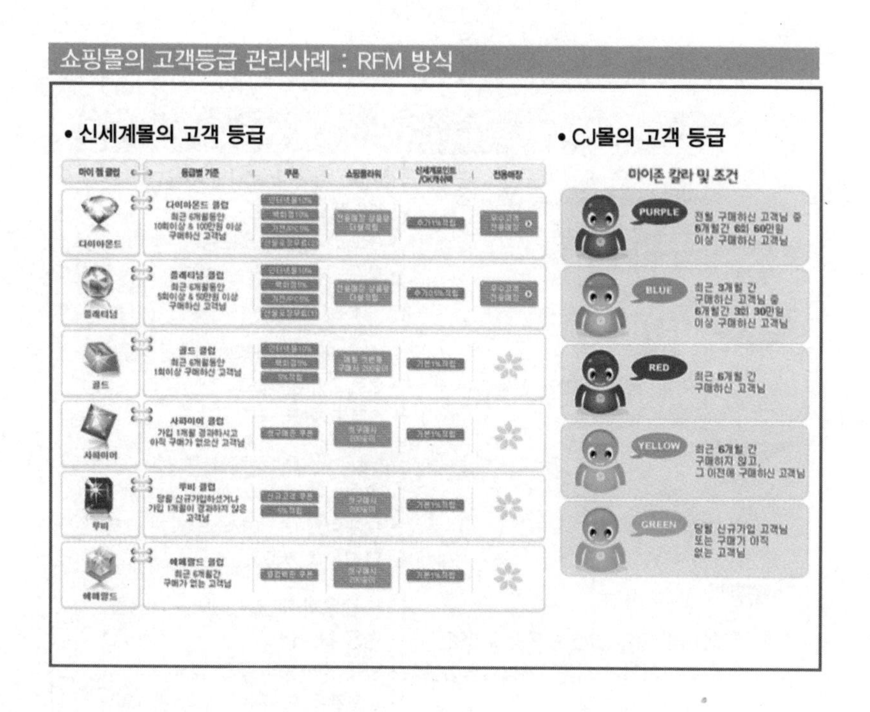

또한 G마켓의 고객등급 구분도 심플하다. 일반 구매고객, 단골고객, VIP 고객 3가지 그룹으로 관리하여 고객 스스로도 자기가 어떤 등급에 속하고, 어떤 혜택을 누릴 수 있는지에 대해서도 분명하게 알 수 있는 구조이다.

G마켓의 충성 고객 전환 루프를 요약하면 다음과 같다. 첫째, 게이트 웨이를 통해 간접 방문자를 최대한 모은다. 이를 위해 잠재 고객, 타겟 고객을 모으기 위해 키워드 광고에 자원을 집중한다.

G마켓의 충성고객 전환 루프

고객 구분	충성 고객전환 루프	제공되는 혜택
직접 방문 고객	직접 방문할 수 있는 툴 제공 • 바로가기 아이콘 • 즐겨찾기 • G툴바 등	플러스 존에서 혜택을 제공함 • G스탬프 응모 • G마켓 선물권 응모 • 행운경매 응찰 • 바탕화면 다운로드
구매 고객	구매완료할 때마다 신용점수 +1	구매할 때마다 다양한 혜택을 제공함 • G로또 쿠폰 응모 • G로또 현금 응모
단골 고객	신용점수 20점 이상	구매시 다양한 혜택을 제공함 • 단골고객 전용 쿠폰 응모 • 단골찬스 매장에서 더 싸게 상품 구매 기회 제공
VIP 고객	매월 말일 기준 신용점수 50점 이상이면서 최근 3개월 5점이상 적립 구매고객	VIP 전용의 다양한 혜택을 제공함 • 전용 콜 서비스 • 반품시 배송비 무료(월 10회) • VIP 전용 할인쿠폰 제공(월 1회) • VIP 전용 이벤트

둘째, 방문한 고객을 회원가입 시키고, 직접방문에 대한 혜택을 적극 알린다. 바로가기 아이콘 등 인터넷 동선에서 고객이 직접방문할 수 있는 툴을 제공한다. 직접방문하면 G플러스 존의 혜택을 받을 수 있다.

셋째, 구매할 때마다 G쿠폰, G로또, G스탬프 등 재구매 할 수 있는 혜택을 제공한다.

넷째, 단골고객으로 만드는데 자원을 집중 사용한다. 신용점수 20점이 되는 과정을 통해 G마켓의 쇼핑에 맛들인 사람이 되게끔 만든다.

마지막으로 쿠폰 등 금전적 혜택, MP3 다운로드 등 문화적 혜택을 제공하여 VIP 고객으로 만들어 가는 루프를 운영하고 있다. VIP 고객 등급을 유지하려면 3개월내 구매완료 5회 이상을 하여 5점 이상의 신용점수를 쌓아야 한다.

G마켓의 충성고객 전환 루프 활동의 영향으로 G마켓 단독방문율은 다른 쇼핑몰보다 높게 나타났다. 단독방문율은 다른 사이트를 이용하지 않고 해당 쇼핑몰을 주로 이용하는 고객의 비율을 뜻한다. 이 수치가 높다는 것은 충성도 높은 이용자의 비중이 높다는 것을 의미한다. 2009년 2월 랭키닷컴의 발표에 의하면 G마켓의 고객 단독방문율이 가장 높게 나타났다.

주요 쇼핑몰의 중복 반복율과 단독 방문율

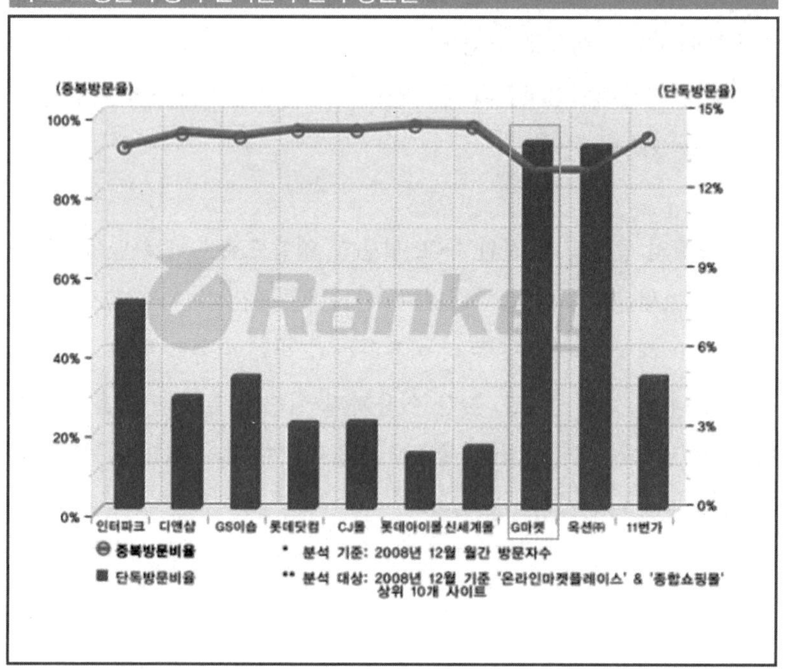

제 5 부

상품구색의 풍부함을 느끼게 하라

포인트

- 메인 페이지, 검색 결과 페이지, 소분류 매장을 통해 고객에게 상품구색의 풍부함을 느끼게 만드는 방법을 이해한다.
- 몰투몰과 몰인몰의 개념과 특징에 대해 이해한다.

제 5 부 상품구색의 풍부함을 느끼게 하라

01 고객이 상품구색을 인지하는 경로를 알아라

고객은 상품 구색이 풍부한 쇼핑몰에서 비교하면서 쇼핑하기를 원한다. 고객설문 조사를 해보면, 고객이 인터넷 쇼핑을 하는 주된 이유는 쇼핑몰간 가격비교, 쇼핑몰내 상품 특성 비교 등 비교 쇼핑의 매력 때문이다. 비교 쇼핑을 통해서 쇼핑과정에 대한 즐거움과 쇼핑 후 최적의 구매 결정을 했다는 만족감을 누릴 수 있다.

고객이 쇼핑몰에서 쇼핑의 구색감을 느끼는 경로는 크게 5가지로 정리할 수 있다. 첫째, 쇼핑몰 메인 페이지이다.

고객이 상품구색을 인지하는 주요 경로

구분	주요 내용
메인 페이지	•트렌드 상품, 신상품 등 최근 쇼핑 흐름을 제시함 •베스트 셀러 매장에서 최근 인기 상품을 제시함 •인기 키워드, 급상상 키워드에서 쇼핑 흐름을 제시함
검색 결과 페이지	검색 키워드에 해당되는 상품을 제시함
매장	소분류 매장을 쇼핑 니즈에 맞게 다양하게 구성함
유니크한 상품	단독상품, 독점상품 등 차별화된 상품을 제시함
상품 페이지	연관 구매가 가능한 코디 상품이 제안되어야 함

쇼핑몰에서 첫 구색감을 주는 곳이 메인 페이지이다. 메인 페이지에서 그 시즌의 유행할 트렌드 상품, 베스트 셀러 등을 제시하여 구색의 풍부함을 느낄 수 있도록 해야 한다.

또한 많은 고객들의 선호도를 반영하는 인기 키워드, 급상승 키워드 정보를 제공하여 유행의 흐름에 동참할 수 있는 정보를 제공해야 한다.

둘째, 검색 결과 페이지이다.

고객이 상품명을 검색한 후, 원하는 상품이 리스팅되지 않으면 고객은 상품이 없다라고 인식한다. 또한 니콘 D80을 검색했는데, 상관없는 카테고리 상품이 나온다든지, 밧데리 등 부속품이 먼저 리스팅 된다든지 검색결과의 품질이 낮아도 고객은 구색이 부족한 쇼핑몰이다라고 인식하고 다른 쇼핑몰로 이동해 버린다. 검색 결과 페이지에서 원하는 상품의 리스팅으로 구색감을 느낄 수 있도록 해야 한다.

셋째, 소분류 매장을 쇼핑 니즈에 맞게 다양하게 구성해야 한다.

상품군의 대분류 매장, 중분류 매장, 소분류 매장으로 이동하면서 고객의 쇼핑목적과 대상물이 좁혀지게 된다. 소분류 매장에서는 상품 구매에 대한 세분화된 니즈별로 다양하게 구성되어 져야 한다. 디자인별 소분류 매장, 고객의 TPO (Time, Place, Occasion/ 때, 장소, 상황)별 소분류 매장, 브랜드별 소분류 매장 등 다양하게 제시되야 구색감을 느낄 수 있다.

넷째, 독특한 상품을 제시해야 한다.

G마켓은 소호 디자이너들의 독특한 디자인 상품, 롯데닷컴은 롯데 백화점의 명품 디자이너들의 품질 좋은 상품, GS이숍은 TV홈쇼핑의 기능성 상품 등 쇼핑몰별로 독특한 상품을 가지고 있다.

이런 쇼핑몰을 방문하는 고객들은 각 쇼핑몰이 가지고 있는 독특한 상품을 우선해서 찾는데, 이러한 독특한 상품들이 많이 제시되어야 구색의 풍부함을 느낄 수 있다.

다섯째, 상품 페이지에서 코디를 이룰 수 있는 연관상품을 제시해야 한다.

바지를 구입한 고객에게는 자켓을, 노트북을 구입한 고객에게는 노트북 가방을 제시하여 연관구매에 대한 고객의 잠재 니즈를 충족 시켜줄 때 구색의 풍부함을 느낄 수 있다.

상품 구색을 인지하는 주요 경로에 대해 좀 더 구체적으로 살펴보자.

02

메인 페이지 F자 동선에서 상품의 풍부함을 전달하라

쇼핑몰의 메인 페이지는 구색감을 전달하는 가장 중요한 곳이다. 메인 페이지에서는 상품 카테고리, 상품 기획 코너, 마케팅 등 쇼핑몰 운영전략이 집약된 곳이다.

쇼핑몰 이용자는 7초 이내에 방문한 쇼핑몰의 이미지를 판단하며, 원하는 정보를 메인 페이지에서 찾기를 원한다. 이용자의 시선이 움직이는 동선에 전략 상품군, 주요 상품코너를 배치해서 풍부함을 느끼게 해야한다. 통상 고객의 시선은 F 자 동선을 보인다고 한다. 즉 상단의 메뉴와 좌측에 주로 시선이 많이 가는 것을 반영해서 상품을 배치해야 한다.

그림의 네이버 지식쇼핑 메인 페이지의 코너별 클릭율을 보면, ❶ 카테고리 매장을 포함해서 ❷~❺가 클릭이 높으며, 대략 F자 형태를 보이고 있다.

네이버 지식쇼핑처럼 메인 페이지에 다양한 이미지 배너와 상품을 진열하는 것이 매출에 도움이 된다. 옥션이 과거 텍스트 중심에서 현재의 이미지 중심의 메인 페이지로 개편한 것도 이미지 배너에 의한 상품정보 전달이 효과적이라고 판단했기 때문이다.

네이버 지식쇼핑 메인 페이지 코너별 클릭율

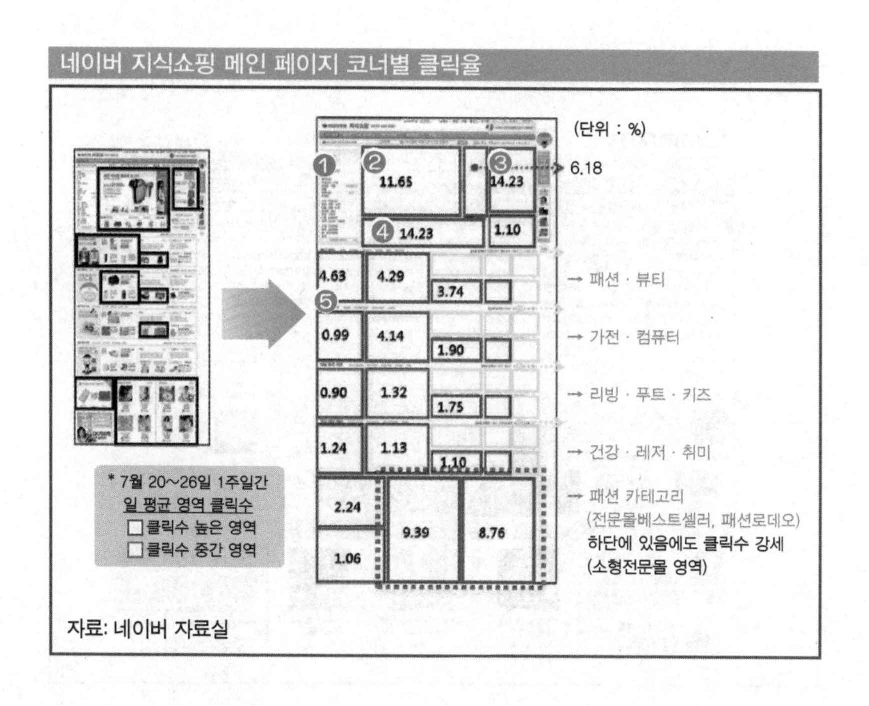

자료: 네이버 자료실

G마켓은 메인 페이지에서 구색의 풍부함을 제시하고 있다. 메인 페이지에서 고객들의 클릭이 높은 3가지 코너를 통해 의미를 해석해 볼 수 있다. ❶ 42개의 전체 카테고리 대분류 매장을 통해 풍부함을 제시한다. 시니어 의류 등 최근 고령화 사회의 트렌드를 반영 하는 매장도 육성하고 있다. 오프라인의 애경백화점이 운영하는 AK플라자/이마트 매장을 입점시켜 풍부한 상품 구색을 제시하고 있다. 실제 클릭 자료를 보더라도 클릭율이 가장 높은 곳이 카테고리 매장이므로, 고객 니즈 변화를 카테고리 매장에 반영해야 한다.

G마켓의 메인 페이지의 상단 부분

❷ 공동구매 매장을 통해 시즌 신상품으로 풍부함을 나타내고 있다. 판매자들 사이에서도 신상품을 출시하면 공동구매 매장에서 고객의 반응을 먼저 확인한다. ❸ 베스트 셀러 코너를 통해 최근 고객들이 많이 구매하는 트렌드 정보도 보여주고 있다.

또한 메인 페이지에 노출되는 상품이 일 거래액의 30~50% 정도 차지한다. 즉 메인 페이지의 공간 효율이 매우 중요하다. G마켓이 메인 페이지의 전체 카테고리 매장을 ❶의 기능처럼 열고 닫을 수 있는 구조로 운영하는 것도 메인 페이지의 효율을 극대화 하기 위한 방법으로 이해할 수 있다.

03

검색 결과 페이지에서 상품의 풍부함을 전달하라

쇼핑몰에서 상품을 구매하기 위해 검색창에서 키워드 검색을 한다. 이때 나타나는 검색결과 페이지에 리스팅 되는 상품이 제대로 검색되어야 풍부함을 전달할 수 있다.

G마켓과 같은 오픈마켓은 키워드를 판매자들에게 경매를 통해 판매하고, 해당 키워드 매장에 입찰된 판매자들의 상품이 노출된다.

G마켓의 'MP3' 검색 결과 페이지 중 일부

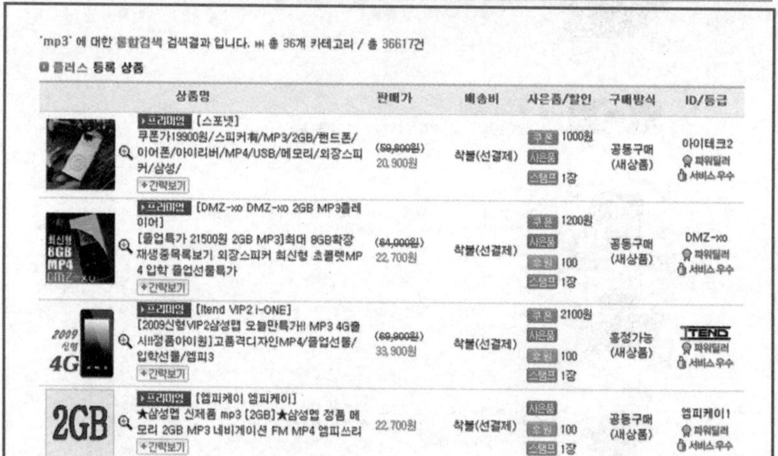

'mp3' 에 대한 통합검색 검색결과 입니다. ⏭ 총 36개 카테고리 / 총 36617건

■ 플러스 등록 상품

상품명	판매가	배송비	사은품/할인	구매방식	ID/등급
프리미엄 [스포넷] 쿠폰가19900원/스피커有/MP3/2GB/핸드폰/이어폰/아이리버/MP4/USB/메모리/외장스피커/삼성/ +간략보기	(59,800원) 20,900원	착불(선결제)	쿠폰 1000원 사은품 스탬프 1장	공동구매 (새상품)	아이테크2 파워딜러 서비스우수
프리미엄 [DMZ-xo DMZ-xo 2GB MP3플레이어] [졸업특가 21500원 2GB MP3]최대 8GB확장 재생중목록보기 외장스피커 최신형 초콜렛MP4 입학 졸업선물특가 +간략보기	(64,000원) 22,700원	착불(선결제)	쿠폰 1200원 사은품 [illegible] 100 스탬프 1장	공동구매 (새상품)	DMZ-xo 파워딜러 서비스우수
프리미엄 [Itend VIP2 i-ONE] [2009신형VIP2삼성램 오늘만특가!! MP3 4G출시!!정품아이원]고품격디자인MP4/졸업선물/입학선물/엠피3 +간략보기	(69,900원) 33,900원	착불(선결제)	쿠폰 2100원 사은품 [illegible] 100 스탬프 1장	흥정가능 (새상품)	ITEND 파워딜러 서비스우수
프리미엄 [엠피케이 엠피케이] ★삼성멤 신제품 mp3 [2GB]★삼성멤 정품 메모리 2GB MP3 네비게이션 FM MP4 엠피쓰리 +간략보기	22,700원	착불(선결제)	사은품 [illegible] 100 스탬프 1장	공동구매 (새상품)	엠피케이1 파워딜러 서비스우수

그림처럼 G마켓에서 'MP3'키워드 검색을 하면, 키워드에 낙찰된 판매자들의 상품이 노출되고, MP3 기획전, 쇼핑웹진 등 다양한 상품과

상품정보가 제시되어 풍부한 구색감을 느낀다.

반면, 검색결과 페이지 품질이 낮아 구색감을 느끼지 못하는 경우도 있다.

A쇼핑몰의 'MP3' 검색 결과 페이지

❶ [베스트 실리콘케이스]Apple 2세대 iPod touch 8GB 블랙컬러 +실리콘케이스(액정보호필름포함)+온라인음악상품권 HIT

[베스트 실리콘케이스]Apple 2세대 iPod touch 16GB 블랙컬러 +실리콘케이스(액정보호필름포함)+온라인음악상품권 HIT

★5%추가할인쿠폰★당일배송이벤트★삼성YEPP YP-Q1A (4GB)+곰인코더쿠폰 HIT

TV홈쇼핑
2009년형 디지털 어학기 워크랩 보카Voca WL-100V HIT

★5%추가할인쿠폰★키세스초콜릿+곰인코더쿠폰증정★삼성YEPP YP-P3C(8GB)+이어폰(내장) HIT

★5%추가할인쿠폰★키세스초콜릿+곰인코더쿠폰증정★삼성YEPP YP-Q1A(4GB)+이어폰(내장) HIT

[대용량메모리 및 할인쿠폰 행사] 샤프전자사전 RD-CX150P ❷ 필기인식전자사전+대용량메모리+전용하드케이스+액정보호필름+쿠폰2종 HIT

[대용량메모리 및 할인쿠폰 행사]샤프 컬러 전자사전 RD-CT40+SD2GB메모리+전용리더기+액정보호필름+사진인화권+영화예매할인권 HIT

1 2 3 4 5 6 7 8 9 10

A쇼핑몰에서 'MP3' 검색 페이지를 보면, 첫 페이지에 MP3 대신 ❶ 실리콘 케이스, ❷ 전자사전이 리스팅 되고 있다. 이렇게 되면 고객은 MP3 검색 페이지를 통해 구색이 부족하다고 느낀다.

쇼핑시 검색은 필수 기능이므로 정확한 상품이 리스팅 될 수 있도록 검색 결과 품질을 관리해야 한다.

04

전략 카테고리의 구색강화에 우선 집중하라

고객은 쇼핑몰에서 주력으로 내세우는 카테고리에서 구색감을 느낀다. 고객조사를 해보면, 고객은 각 쇼핑몰별로 연상되는 상품 카테고리 이미지를 가지고 있다. 예를 들면, GS이숍은 컴퓨터, 가전 등 디지털 상품 구색이 강한 쇼핑몰로 인지되고 있다. 롯데닷컴, H몰 등 백화점 계열의 쇼핑몰은 유명 브랜드의 패션 및 잡화 상품 구색이 풍부하다고 인지되고 있다. H몰의 경우 현대백화점 상품 전용매장을 운영하여, 백화점 상품 구색을 강화하고 있다.

H몰의 현대백화점 상품 매장

G마켓의 경우, 트렌디하고 저렴한 패션 상품이 풍부한 쇼핑몰로 인지되고 있다. G마켓은 패션 상품군에 대한 확실한 구색 이미지를 만든 다음, 식품을 전략 카테고리로 선정하였고, 선정된 전략 카테고리를 육성하기 위해 상품구색 강화에 집중하는 단계적 카테고리 육성 전략을 실행하고 있다. 실제 G마켓은 식품 카테고리를 집중육성하기 위해 농협, 농수산 홈쇼핑 등 대형 업체를 입점시키고, 마케팅 자원도 집중 투입하고 있다. 그 결과 2008년 2분기에 식품이 전년 동기간 대비 93% 신장하였다.

즉 상품의 풍부함을 고객에게 전달하기 위해서 단계적으로 카테고리를 육성해야 성공할 수 있다. 패션, 이미용품 등 여성고객을 획득할 수 있는 카테고리를 우선적으로 육성하는 것을 권하고 싶다.

05

소분류 매장에서 상품의 풍부함을 전달하라

여성의류/속옷 〉 원피스 〉 미니원피스 매장분류 단계에서 소분류 매장 미니원피스는 구매하고 싶은 니즈가 최종적으로 좁혀진 단계이다. G마켓은 소분류 매장에서 고객에게 풍부함을 전달하고 있다. 상품팀을 운영할 때, "찾기 쉬운 매장 만들기" 프로젝트를 수행하였다. 고객입장에서 찾기 쉽도록 중분류 매장과 소분류 매장을 개편하는 업무였다. 그때 우선적으로 개편했던 매장이 침구/인테리어였다. 침대 생활 중심의 매장구성에서 온돌 생활을 하는 고객을 타겟으로 한 소분류 매장을 만들어 추가 매출을 신장시켰다.

G마켓의 대표 상품군이라 할 수 있는 여성의류/속옷 매장을 보면, 소재, 디자인, TPO (Time, Place, Occasion), 브랜드 등 다양한 기준에 의해 소분류 매장을 운영하여, 상품의 풍부함을 나타 내고 있다.

❶ 민소매 소분류 매장의 경우 상품의 종류가 많은 것은 기본, 롱, 캡내장, 레이스로 세분화 하거나, ❷ 여성고객이 가장 많이 찾는 원피스 매장은 디자인, 소재 등으로 다양한 소분류 매장을 만들거나, ❸ 클럽의상/파티복 처럼 특별한 연출을 위한 TPO 매장을 만들거나, ❹ 요가 등 취미생활에 필요한 목적구매 매장이 있다. ❺ 찾기 쉬운 브랜드 매장도 운영하여, 풍부함을 나타내고 있다.

G마켓의 여성의류/속옷의 소분류 매장의 일부분

G마켓은 4백만개 이상의 상품을 42개의 대분류 매장, 약 6,000여개의 소분류 매장을 통해 풍부함을 느끼게 하고 있다.

06

독특한 상품으로 풍부함을 전달하라

다른 곳에서는 구매하기 힘든 독특한 상품을 갖추어 풍부함을 나타낼 수 있다. 쇼핑몰 상품명에 나타나는 '단독상품', '독점상품', 'Only', PB 상품이 해당한다. 독점상품에는 일정기간 동안만 단독판매하는 기간 독점, 구성을 차별화한 구성 독점으로 운영된다. 롯데닷컴 등 백화점 계열 쇼핑몰은 롯데단독 기획상품을 독점상품으로 고객들에게 제안한다. 홈쇼핑 계열 쇼핑몰은 홈쇼핑 구성독점, PB상품으로 고객들에게 제안한다.

G마켓이 독특한 상품으로 육성하고 있는 상품군이 e쿠폰 상품 카테고리이다. e쿠폰 상품이란 오프라인에서 상품으로 교환할 수 있는 교환권, 서비스를 이용할 수 있는 이용권 그리고 다양한 할인혜택이 제공되는 할인권이다. 예를 들면, G마켓에서 피자 이용 쿠폰을 구매한 고객은 오프라인 피자 가게를 방문하여, 쿠폰을 제시하면 서비스를 이용할 수 있다. 이렇게 함으로써 피자 쿠폰을 판매한 가게는 G마켓을 통해 고객을 점포에 방문하게 할 수 있다. 점포에 방문한 고객에게 피자 이외에 추가 상품을 판매할 수 있는 기회도 만들 수 있다. 쿠폰을 구매한 고객은 할인된 가격으로 피자를 구매함으로서 할인 만족감을 높일 수 있다.

G마켓의 e쿠폰 상품 이용 안내 페이지

G마켓의 e쿠폰 상품 리스팅 페이지

선택 장바구니 상품비교	상품명	판매가	배송비	사은품/할인	구매방식	ID/등급
□	e쿠폰 [마르쉐] ▣ 봄맞이 상큼특가 19,800원 / e쿠폰특가_20,900원▣ 마르쉐 월드뷔페 1인식사권 / 생맥주 무제한제공(... +간략보기	(~~29,490원~~) 20,900원	방문사용 위치보기	쿠폰 1100원	흥정가능 (새상품)	아모제 파워딜러
□	e쿠폰 [세이아] ♡e쿠폰-25,000원♡브라질 정통 바베큐 전문점[세이아] 무한리필 스테이크+생맥주 무한제공/30,000원 → ... +간략보기	(~~30,000원~~) 25,000원	방문사용 위치보기		흥정가능 (새상품)	슈하스코 세이아
□	e쿠폰 [상파울루] ★e쿠폰-상파울루★남미요리, 슈하스코코스(스테이크+상파울루 샐러드 제공)35,000--25,000/무한리필과 ... +간략보기	(~~35,000원~~) 25,000원	방문사용 위치보기		흥정가능 (새상품)	상파울루 파워딜러

G마켓의 e쿠폰 상품 종류는 편의점/ 패스트 푸드, 피자/ 뷔페/ 음식점, 헤어/ 뷰티샵, 레저, 뮤지컬, 차량정비 서비스, 숙박, 여행 등 다양한 분야에 구색을 갖추고 있다.

G마켓의 e쿠폰 상품 소분류 매장

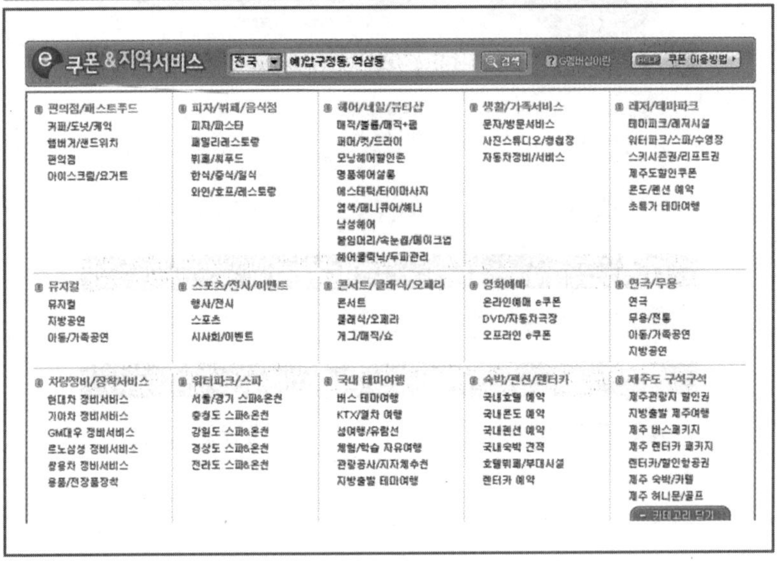

e 쿠폰 & 지역서비스
전국 예)압구정동, 역삼동 검색
G멤버십이란
쿠폰 이용방법

편의점/패스트푸드
커피/도넛/케익
햄버거/샌드위치
편의점
아이스크림/요거트

피자/뷔페/음식점
피자/파스타
패밀리레스토랑
뷔페/씨푸드
한식/중식/일식
와인/호프/레스토랑

헤어/네일/뷰티샵
매직/볼륨/매직+펌
펌어/컷/드라이
모낭헤어할인존
명품헤어살롱
에스테틱/타이마사지
염색/매니큐어/헤나
남성헤어
붙임머리/속눈썹/메이크업
헤어클리닉/두피관리

생활/가족서비스
문자/방문서비스
사진스튜디오/행렬장
자동차정비/서비스

레저/테마파크
테마파크/레저시설
워터파크/스파/수영장
스키시즌권/리프트권
제주도할인쿠폰
콘도/펜션 예약
초특가 테마여행

뮤지컬
뮤지컬
지방공연
아동/가족공연

스포츠/전시/이벤트
행사/전시
스포츠
시사회/이벤트

콘서트/클래식/오페라
콘서트
클래식/오페라
개그/매직/쇼

영화예매
온라인예매 e쿠폰
DVD/자동차극장
오프라인 e쿠폰

연극/무용
연극
무용/전통
아동/가족공연
지방공연

차량정비/장착서비스
현대차 정비서비스
기아차 정비서비스
GM대우 정비서비스
르노삼성 정비서비스
쌍용차 정비서비스
용품/전장품장착

워터파크/스파
서울/경기 스파&온천
충청도 스파&온천
강원도 스파&온천
경상도 스파&온천
전라도 스파&온천

국내 테마여행
버스 테마여행
KTX/열차 여행
섬여행/유람선
체험/학습 자유여행
관광공사/지자체추천
지방출발 테마여행

숙박/펜션/렌터카
국내호텔 예약
국내콘도 예약
국내펜션 예약
국내숙박 견적
호텔뷔페/부대시설
렌터카 예약

제주도 구석구석
제주관광지 할인권
지방출발 제주여행
제주 버스패키지
제주 렌터카 패키지
렌터카/할인항공권
제주 숙박/카텔
제주 허니문/골프
- 카테고리 닫기

그림처럼 G마켓은 e쿠폰을 구매한 고객이 서비스를 이용할 ❶ 가게명이 무엇인지, ❷ 위치가 어디인지를 지도 서비스를 통해 알려 주고 있다.

G마켓의 e쿠폰&지역 서비스 상품

07

상품 등록에서 노출까지 시간을 줄여라

경쟁사보다 상품 구색이 풍부하다라는 인식을 주기 위해서는 상품 노출까지 소요시간이 짧아야 한다. 신상품이 빨리 노출되어야 고객들은 신상품을 접할 수 있다. 인터넷은 1초라도 먼저 노출되어야 신상품을 찾는 패션 리더를 고객으로 유지할 수 있다.

신상품의 구색이 빨리 갖추어지는 쇼핑몰로 고객들에게 인식되기 위해서는 상품노출에 소요되는 시간을 중요 지표로 관리해야 한다. 상품을 빨리 노출하기 위해서 첫째, 상품등록하는 시스템이 정상 기능을 발휘하는가를 점검해야 한다. 상품설명 입력, 상품 이미지, 동영상 파일 등 상품정보를 등록하는 시스템이 경쟁력이 있어야 한다. 또한 상품등록을 여러 쇼핑몰에 동시에 할 수 있도록 솔루션을 공급하는 메이크샵, ec모니터 등의 사업자들과도 필요시 상품등록 시스템 변화에 대한 정보를 나누어야 한다. 둘째, 상품노출을 결정하는 프로세스를 단축시켜야 한다. 오픈마켓의 경우 상품등록 후 사용금지 표현 체크 등 간단한 스크린 과정을 거친 후 노출까지 30분 이내로 소요된다. 반면 종합몰의 경우 상품 품질검사, 표시광고 심의 등 내부 검품 과정이 있어 다소 시간이 소요된다. 이러한 의사결정 과정을 합리적으로 단축하는 것이 필요하다. 셋째, 상품 공급자에게 수시로 개선 의견을 청취해야 한다. 쇼핑몰의 상품 공급자는 보통 7~10개 전후의 쇼핑몰과 거래를 한다. 이들에게 상품등록 및 노출과정에서 다른 쇼핑몰과 비교해서 불편한 점에 대해 의견을 구하면 많은 아이디어를 얻을 수 있다.

08 롱테일 상품구색으로 수익성을 챙겨라

전통적인 파레토 법칙은 20%의 소수가 80%의 성과에 영향을 준다는 것이다. 20%의 상품이 80% 매출을 발생 시킨다는 법칙은 그간의 회사 자원을 집행하는 주요 의사결정 기준이었다.

반면 인터넷의 발달로 개념화된 롱테일 법칙은 판매수량이 적은 80%가 잘 팔리는 20% 보다 인터넷 기업성과에 더 큰 영향을 준다는 말이다. 롱테일은 미국의 인터넷 비즈니스 잡지 와이어드의 크리스 앤더슨 편집장이 처음 사용한 말로, 다양한 상품을 많이 팔리는 상품부터 적게 팔리는 상품의 순으로 가로축에 길게 늘어놓고, 그 각각의 판매량을 세로축으로 표시했을 때 판매량을 선으로 연결하면 마치 공룡의 꼬리와 같이 긴 꼬리(Long Tail) 모양을 이루는데, 바로 이 꼬리 부분에 해당하는 상품들의 판매량이 많이 팔리는 상품들의 판매량을 압도한다는 것이다.

또한 롱테일에 있는 상품은 상대적으로 가격경쟁이 덜한 상품이므로 수익확보에도 도움이 된다.

예를 들어, 미국의 서점 체인 '반즈 앤드 노블스'가 보유하고 있는 도서의 종수는 13만 타이틀(판매 랭킹 13만등까지)인데, 인터넷 서점 아마존 닷컴은 전체 매출의 절반 이상을 13만등 이하의 책에서 올리고 있다고 발표했다. 이렇게 된 이유는, 일반 서점들이 재고 비용 때문에 서가에 비치하지 않는 '팔리지 않는 책'을, 아마존은 추가 비용 없이 목록에 올릴 수 있기 때문이다. 그 결과 현재 아마존이 취급하는 도서의 종수는 총 230만종에 달한다.

G마켓이 2008년도 4조원에 육박하는 거래액을 달성한 배경에는 4백만개가 넘는 상품을 롱테일로 구색을 확보하였기 때문이다.

Amazon의 롱테일 구색 개념

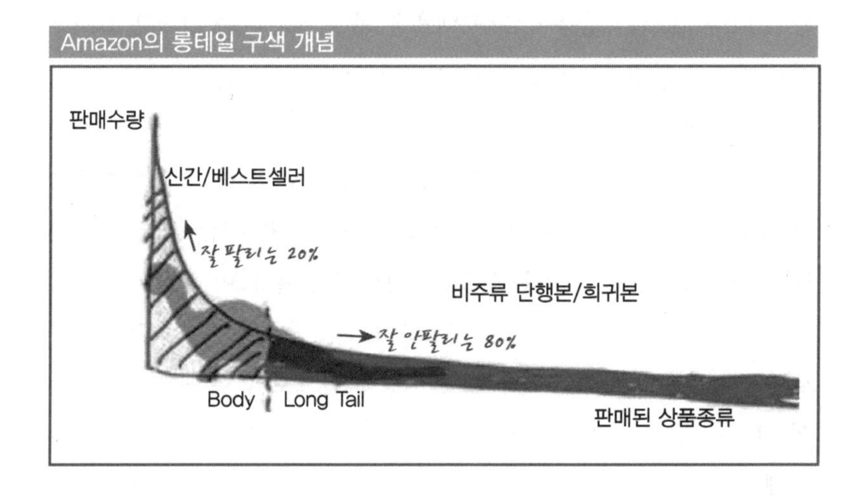

최근 인터넷 마케팅 컨퍼런스에서 YES 24는 롱테일 개념을 마케팅에 적용하여 수익을 달성하고 있다고 한다. Body 부분에 해당하는 신간/베스트 셀러는 거래액에는 도움이 되지만, 가격경쟁이 심하여 수익에는 상대적으로 도움이 덜 된다. 반념 Long Tail 부분에 해당하는 비주류 단행본/희귀본은 경쟁이 덜하므로 할인을 적게하여 수익성에 기여할 수 있도록 운영한다는 것이다.

09

몰투몰과 몰인몰의 득과 실을 알아라

상품 구색과 관련해서 몰투몰 (Mall to mall) 과 몰인몰 (mall in Mall) 개념에 대한 이해가 필요하다.

통상 작은 mall은 YES24와 같은 전문몰인 경우가 많으며, 큰 Mall은 롯데닷컴 같은 종합몰인 경우가 대부분이다.

Mall to mall 사업모델은 보통 쇼핑몰간 제휴관계를 통해 운영된다. Mall이 단기간내에 상품구색을 확보하기 어려울 경우 mall과 제휴하여 운영하게 된다. 제휴를 하면 Mall은 Mall을 통해 넘어간 고객이 mall내에서 결제한 금액의 2~5%의 제휴수수료 수입이 발생한다. 반면, mall은 Mall로부터 넘어온 신규고객을 획득하고 거래액이 증가하는 효과를 얻게 된다.

롯데닷컴과 YES24의 Mall to mall 서비스 안내

YES24.COM
롯데닷컴 제휴도서를 100%활용하기
아세요? 롯데닷컴을 통해 예스24에서
도서/음반구매하면 3%롯데포인트가 더 쌓인다는 사실!
차곡차곡 쌓이는 롯데포인트로 알뜰쇼핑!

Mall 입장에서는 자제해야하는 제휴모델이다. 고객에게 게이트 제공하는 역할에 한정되므로 장기적으로는 쇼핑몰로서 경쟁력을 위협받을 수 있다.

Mall to mall과 mall in Mall의 특성

구분	Mall to mall	mall in Mall
개념	• Mall : 호스트 몰 • mall : 링크 몰	• mall : 입점 몰 • Mall : 호스트 몰
	• mall의 상품 DB가 Mall 내에 통합되지 않고 mall로 링크만 연결됨	• mall의 상품 DB가 Mall 안에 편입되어 특정 카테고리를 담당함
사례	• Mall : 롯데닷컴 • mall : YES24.com	• Mall : Gseshop • mall : 보험몰(http://insu.gseshop.co.kr)
구매가 발생하는 곳	• mall	• Mall
Mall이 얻는 것	• mall로 부터 2~5% 수수료 수입	• 상품 구색 강화를 통한 상품 경쟁력 • 신규고객 획득 • 거래액 증가
mall이 얻는 것	• 신규 고객 획득 • 거래액 증가	• 사업 초기 런칭시 Mall의 방문자 활용

mall in Mall 사업모델은 Mall에서 신규 전문몰을 런칭할 경우 신사업을 인큐베이터하는데 사용된다. Mall 입장에서는 상품구색 강화, 신규고객 획득, 거래액 증가의 효과를 얻게 된다.

GS이숍내 GS보험금융의 mall in Mall 서비스 안내

반면 mall in Mall 사업모델 중에서도 Mall이 상품구색을 강화하기 위해 mall과 제휴하여 운영하는 경우도 있다. 이 경우 제휴용 상품 DB를 독립적으로 운영하게 된다. 이때 mall의 상품DB, 컨텐츠 업데이트가 원활하게 잘 되는지 확인해야 한다. 또한 mall과 Mall간 고객서비스에 대한 정책이 상이할 경우 어떠한 정책으로 운영할 것인지를 명확히 해야 불필요한 고객 클레임이 발생하지 않는다.

제 6 부

찾기 쉬운 매장을 만들어라

포인트

- 추가 마케팅 비용 투입 없이 단기간에 매출을 올릴 수 있는 방법이 찾기 쉬운 매장을 만드는 것이다. 대분류 매장 배열 기준, 소분류 매장 표기원칙을 이해한다.
- 속옷은 의류매장과 함께, 지식쇼핑의 소분류 매장 벤치마킹, 7㎝로 구분하는 소분류 매장 등 찾기 쉬운 매장 만드는 방법을 이해한다.
- 매장 분리 후 매출이 떨어질 경우 체크 포인트를 이해한다.

제 6 부 찾기 쉬운 매장을 만들어라

01

찾기 쉬운 매장으로 단기간에 매출을 올려라

쇼핑몰 경영에서 추가적인 마케팅 자원 투입없이 매출을 올릴 수 있는 가장 효과적인 방법이 대 · 중 · 소분류 매장 카테고리 네비게이션을 개편하는 것이다. 상품 카테고리 매장 개편을 통해 상품을 찾기 쉽게 만들고, 네비게이션 단계별로 상품을 많이 고객에게 노출함으로서 매출이 한 단계 점프할 수 있다.

대분류 > 중분류 > 소분류 매장으로 연결되는 카테고리 네비게이션을 고객의 눈높이에 맞추어 찾기 쉽게 개편함으로써 쇼핑몰의 역량을 한 단계 높일 수 있다. 예를 들면, 여성의류/속옷 > 티셔츠 > 브이넥 티셔츠 와 같은 매장을 어떻게 분류하고 배치할 것인가가 구매 전환율에 영향을 준다.

대 · 중 · 소분류 매장을 어떻게 나누고 모을 것인가는 정답이 있는 것은 아니다. 쇼핑몰의 책임자가 어떤 기준을 가지는가, 고객의 니즈를 얼마나 이해하고 있는가 등에 의해 결정되는 것이다. 즉 의사결정의 이슈이지, 정답이냐 아니냐의 이슈는 아니다.

쇼핑몰을 이용하는 고객의 입장에서 G마켓의 매장운영 사례와 다른 쇼핑몰의 사례를 비교하면서, 찾기 쉬운 매장 만들기에 대해 살펴보자.

찾기 쉬운 매장 만드는 법

구분	주요 내용
1	매장 분류 원칙을 공유함
2	찾기 쉬운 대분류 매장을 만듦
3	대분류 매장의 배열 순서 기준을 정함
4	속옷은 의류 매장에 함께 배치함
5	유아동 매장의 상품 진열은 사업부장이 챙김
6	네이버 지식쇼핑의 소분류 매장을 반영함
7	매장 명칭을 표기하는 원칙을 정함
8	고객의 구매의사 결정 순으로 소분류 매장을 구분함
9	브랜드로 소분류 매장을 구분함
10	디자인으로 소분류 매장을 구분함
11	7㎝ 기준으로 소분류 매장을 구분함
12	월령별로 소분류 매장을 구분함
13	세트 매장은 찾기 쉽게 구분함
14	찾기 쉬운 매장으로 계속 변화함

02

매장 분류 원칙을 공유하라

쇼핑몰 매장은 상품 담당자, 매장 관리 담당자, 몰 운영 담당자 등 많은 담당자들의 업무와 관련되어 있다. 따라서 쇼핑몰 운영에 대해서는 구성원들간에 운영원칙을 공유해야 일관된 의사결정을 할 수 있고, 고객에게도 일관된 커뮤니케이션을 할 수 있다.

언제 대분류 매장을 추가할 것인가, 중분류 매장은 언제 늘려 나갈 것인가, 소분류 매장은 어떻게 세분화 할 것인가 등이 항상 고민이였다. 이러한 고민을 해결하기 위해서는 매장의 단계에 대해 개념을 정

매장 분류 원칙

매장 구분	분류 기준	G마켓의 매장 사례
대분류 매장	• 백화점의 층에 해당하는 개념으로, 타겟 고객이 확연히 구분됨 • 검색시 대표 키워드에 해당됨	•여성의류/속옷
중분류 매장	• 백화점의 층내 존에 해당하는 개념으로, 고객의 쇼핑 니즈 영역이 확연히 구분됨 • 검색시 대표 키워드에 해당됨	•티셔츠 •원피스/정장
소분류 매장	• 백화점의 존내 고객의 쇼핑 대상 상품 종류가 구분됨 • 상품의 디자인, 소재, 사이즈 등 구매 결정 요소에 의해 구분됨 • 검색시 세부 키워드에 해당됨	•브이넥 티셔츠 •보헤미안 원피스

리해두는 것이 필요하다.

대분류 매장의 개념은 오프라인 백화점의 층에 해당한다고 이해하면 쉽다. 1층에는 화장품, 잡화, 2층에는 여성 캐주얼, 3층에는 남성 정장 등과 같이 타겟 고객이 확연히 구분되는 매장, 고객의 쇼핑 니즈가 확연히 구분되는 매장으로 기준을 정할 수 있다.

중분류 매장은 백화점의 층내에 유사한 상품을 묶어둔 존(zone)개념으로 존과 존간에는 쇼핑 니즈 영역이 확연히 구분되는 개념이다. 예를 들어, 백화점 여성 캐쥬얼층에서 티셔츠를 판매하는 존과 원피스를 판매하는 존으로 이해할 수 있다. 키워드 분류로 보면 티셔츠와 같은 대표 키워드에 해당되는 매장이다.

소분류 매장은 존내에 고객의 쇼핑 대상 상품 종류가 명확히 구분되는 개념이다. 상품의 디자인, 소재, 사이즈 등 상품의 FAB(Feature, Advantage, Benefit) 또는 고객의 KBF(Key Buying Factor)에 의해 매장이 구분된다. 키워드 분류상으로 보면 브이넥 티셔츠와 같은 세부 키워드에 해당되는 매장이다.

03

찾기 쉬운 대분류 매장을 만들어라

백화점의 매장 층은 대체로 10층 전후의 규모이다. 건물 신축의 투자 및 운영비용을 고려하여 10층 규모로 짓고, 3~50만종의 상품을 진열하고, 영업면적 평당 판매 효율을 관리한다.

반면 인터넷 쇼핑몰은 롱테일 구색에 의한 사업이다. 오프라인의 모든 상품을 인터넷 쇼핑몰에 노출하여 판매할 수 있다. 쇼핑몰에 등록되는 상품은 유형의 상품, 무형의 서비스 이용권, 영화나 음악 등 컨텐츠 상품 등 기술이 발달할수록 다양하고 많아 지게된다.

G마켓의 대분류 매장

컴퓨터/전자	패션/명품/잡화	출산/유아동/식품	뷰티/스포츠/자동차	가구/건강/리빙	도서›/여행›/e쿠폰›
· 컴퓨터/모니터/프린터	· 여성 의류/속옷	③ · 기저귀/분유/생리대	· 화장품/미용/다이어트	· 가구/DIY	· 도서/음반/DVD
· PC부품/주변기기	· 남성의류/정장/속옷	· 출산/유아용품/임부복	⑤ 골프클럽/의류/용품	· 생활/주방/수납/욕실	· 여행/호텔/항공권
· 휴대폰/액세서리	① 빅사이즈/시니어의류	· 유아동의류/신발/가방	· 등산/낚시/캠핑/스키	· 침구/인테리어	· 공연/스포츠/영화티켓
· 대형가전/TV/에어컨	· 명품/국내/해외브랜드	· 장난감/교육완구/인형	· 헬스/레저/취미/수영	· 건강/예완/악기/성인	⑧ · 외식/미용실/생활쿠폰
· 소형/주방/계절/음향	② 여성화/남성화/패션!	④ · 쌀/과일/정육/수산물	· 스포츠의류/운동화	· 문구/사무/공구/기계	· 만화/운세/VOD/게임
· 디카/MP3/게임/사전	· 가방/지갑/시즌잡화	· 차/음료/과자/가공식	⑥ 자동차용품/네비게이션	· 꽃/화분/팬시/상품권	· 항공권비교/도매시장
· 골동품/수집품/중고시장	· 쥬얼리/시계/선글라스	· 건강식품/다이어트/홍삼	· 중고차/자동차	⑦ · 삼성플라자/이마트	⑨ · 아트마켓/선물가게

G마켓이 노출하여 판매하는 상품수는 400만가지가 넘으며, 지속적으로 판매되는 상품 영역이 넓어 지고 있다. G마켓은 36개의 대분류 카테고리를 관리하고 있다. G마켓 대분류 매장 중 특징적인 것을 살펴보자. ❶ 빅사이즈/시니어의류 매장이다. 니치 시장인 빅사이즈 매장을 운영하고, 최근 고령화에 따른 시니어 고객을 대상으로 한 매장을

운영하고 있다. ❷ 신발 시장을 구분하여 여성화/남성화/패션화 매장을 운영하고 있다. ❸ 부피와 무게로 오프라인에서 쇼핑하기 힘든 기저귀/분유/생리대 매장을 운영하고 있다.

❹ 무거워서 오프라인에서 쇼핑하기 힘든 쌀/과일 매장을 운영하고 있으며, 매장 명칭도 농산물, 축산물이라는 표현 대신 고객들이 검색시 사용하는 쌀/과일/정육 용어로 표현하여, 쉽게 상품에 대한 내용을 전달하고 있다. ❺ 최근 시장이 급성장하는 레포츠 시장을 골프, 등산/낚시/캠핑/스키 등 4개의 대분류 매장을 운영하고 있다. ❻ 자동차용품 중에서 가장 수요가 많은 네비게이션을 대분류로 전면 배치하고 있다. ❼ AK플라자로 변경한 삼성플라자, 할인점인 이마트 매장을 보여 주어, 오프라인 매장 상품을 G마켓에서 구매할 수 있다는 신뢰감을 보여주고 있다. ❽ G마켓이 주력으로 육성하고자 하는 e쿠폰 상품인 외식/미용실/생활쿠폰 매장을 대분류로 운영하고 있다. ❾ 가장 최근에 생긴 매장으로서 아트마켓/선물가게를 운영하여 예쁘게 선물하려는 고객을 흡수하고 있다.

G마켓은 세분화된 대분류 매장의 유연한 확장을 위해 매장 배치도 가로 배치를 하고 있다.

반면 A쇼핑몰의 경우, 약 20여개의 대분류 매장을 세로로 배치하여 운영하고 있다. 물론 A쇼핑몰이 잘못하고 있다는 것은 아니고, 상대적으로 G마켓에 비해 고객들이 찾기가 편안한가를 짚어볼 필요가 있다.

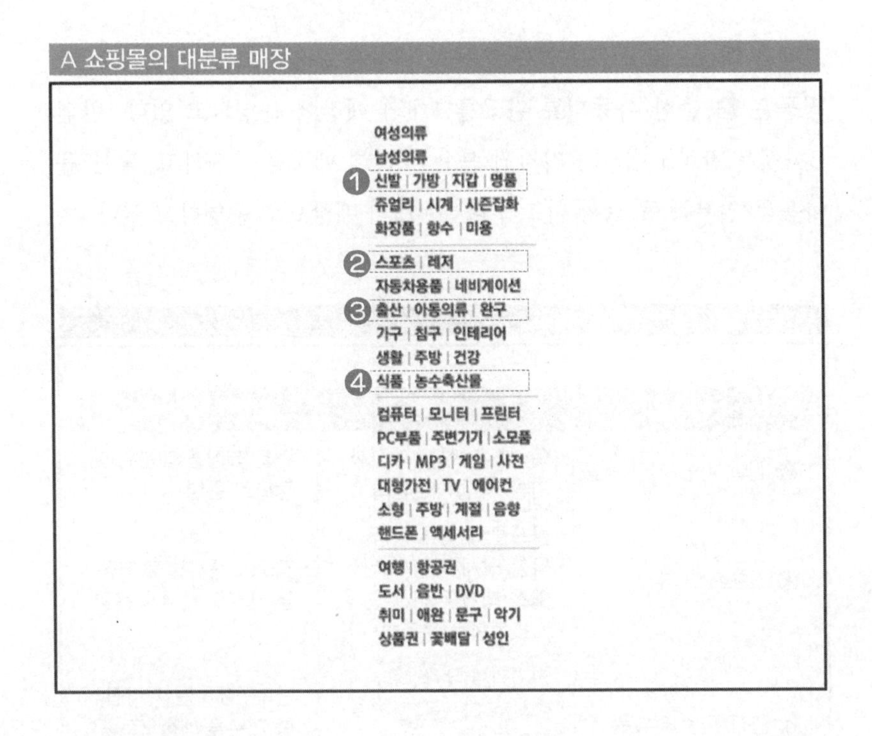

A 쇼핑몰의 대분류 매장

다음 그림에서 A쇼핑몰의 대분류 매장 중 4가지를 G마켓과 비교해보자. 첫째, A쇼핑몰은 ❶ 신발/가방/지갑/명품을 1개의 매장에 운영하고 있다. 반면 G마켓은 신발을 쇼핑하려고 하는 고객을 구분하여 여성화/남성화/패션화 매장을 운영하고 있으며, 가방/지갑/시즌잡화를 쇼핑하려는 고객은 별도 대분류 매장에서 쇼핑할 수 있도록 세분하여 찾기 쉽도록 하고 있다.

둘째, A 쇼핑몰은 ❷ 스포츠/레저를 1개의 매장에 운영하고 있다. 반면 G마켓은 레포츠 종류별 쇼핑하려는 고객을 구분하여 골프클럽/의류/용품, 등산/낚시/캠핑/스키, 헬스/레저/취미/수영 매장을 운영하고 있으며, 축구, 농구, 야구 등 다양한 스포츠 상품에 대해 쇼핑하려는 고객을 대상으로 스포츠의류/운동화 매장을 운영하고 있다. 셋째, A 쇼핑몰은 ❸ 출산/아동의류/완구를 1개의 매장에 운영하고 있다. 반면 G마켓은 반복구매하는 기저귀/분유/생리대 매장을 구분하고, 출산/유아용품/임부복 등 쇼핑 니즈가 다른 4개의 매장으로 운영하고 있다.

주요 대분류 매장 세분화 비교

A 쇼핑몰	G마켓	G마켓 매장 특징
❶ 신발/가방/지갑/명품	• 여성화/남성화/패션화 • 가방/지갑/시즌잡화	• 신발 매장을 대분류 매장으로 운영
❷ 스포츠/레저	• 골프클럽/의류/용품 • 등산/낚시/캠핑/스키 • 헬스/레저/취미/수영 • 스포츠의류/운동화	• 레포츠 종류별로 매장을 세분하여, 4개 운영
❸ 출산/아동의류/완구	• 기저귀/분유/생리대 • 출산/유아용품/임부복 • 유아동의류/신발/가방 • 장난감/교육완구/인형	• 반복구매하는 기저귀를 대분류 매장으로 구분하여, 4개 운영
❹ 식품/농수축산물	• 쌀/과일/정육/수산물 • 차/음료/과자/가공식품 • 건강식품/다이어트/홍삼	• 신선식품, 가공식품, 건상식품으로 매장을 세분하여, 3개 운영

넷째, A 쇼핑몰은 ❹ 식품/농수축산물을 1개 매장으로 운영하고 있다. 반면 G마켓은 반복구매 빈도가 높은 쌀/과일/정육/수산물 매장을 구분하고 있다. 최근 건강식품 중 가장 많이 팔리는 홍삼을 대분류 매장명에 노출하여 고객이 찾기 쉬운 매장으로 운영하고 있다.

그러면 무조건 세분화하면 좋은 것인가? 그렇지는 않다. 고객에게 매장을 찾는데 시간을 줄여주는 편의를 제공하기 위해 매장을 만드는 것이므로 고객의 검색 키워드에 대한 정기적인 분석 등 과학적인 고객 이해를 바탕으로 매장분화가 되어야 한다.

실제 실무에서는 6개월 단위로 고객의 키워드 검색용어를 분석하여 추가적인 매장을 만들 것인가를 결정한다. 따라서 각 쇼핑몰의 타겟 고객 특성에 따라 매장 유형도 다양하게 분류될 수 있다.

04 대분류 매장의 배열 순서 기준을 정하라

쇼핑몰 상품 담당자들은 자기가 책임지고 있는 상품매장이 대분류 매장 가장 위에 위치되기를 희망한다. 고객의 시선이 가장 먼저 가는 위치이기 때문이다.

쇼핑몰의 대분류 매장

사례 1

① 여성의류/속옷
남성의류/캐쥬얼/정장
잡화/명품/슈즈/가방
시계/쥬얼리/선글라스
화장품/향수/이미용

② 컴퓨터/노트북/프린터
PC주변기기/저장장치
영상/음향/전자사전
디카/DSLR/핸드폰
MP3/PMP/PDA
생활/계절가전/주방가전
게임/취미

골프/헬스/등산/낚시
스포츠의류/신발/용품
자동차/내비게이션
유아동/출산/완구/도서
유아동의류/잡화/임부복

가구/인테리어
침구/커튼/인테리어소품
생활/욕실/주방/문구
건강/악기/애완/성인
식품/분유/기저귀/꽃배달
e쿠폰/e금융 I 토탈홈케어

도서/CD/DVD/블루레이
스포츠 I 전시/체험
항공/호텔/여행

사례 2

화장품 | 미용 ③
패션잡화 | 직수입명품
패션슈즈
보석 | 시계 | 액세서리
여성의류
트렌드 패션
언더웨어
남성의류

임신 | 출산 | 유아 | 아동
식품 | 슈퍼마켓
생활 | 건강 | 욕실
가구 | 인테리어소품
침구 | 커튼 | 홈패션
주방 | 리빙용품
레저 | 스포츠 | 자동차용품

디카 | MP3 | 전자사전 | 휴대폰
컴퓨터 | 주변기기
TV | 냉장고 | 세탁기 | 계절 | 음향
주방가전 | 생활가전 | 학습기

악기 | 문화 | 서비스 | 꽃 | 상품권
도서 | 유아동서적 | 전집
여행 | 항공권 | 숙박
생명 | 손해 | 자동차보험 | 금융
백화점 GS스퀘어
해외쇼핑 수입대행 plein

사례 3

여성의류
트랜디의류
캐쥬얼
남성의류
언더웨어
명품관
패션잡화
패션구두
시계 | 보석 | 액세서리

화장품 | 뷰티
스포츠 패션 | 슈즈
레저 | 골프
유아동 | 출산
가정 | 주방
가구 | 인테리어
침구 | 커튼 | 카페트
생활 | 건강 | 욕실
식품

가전
디카 | DSLR | 캠코더
MP3 | 내비 | 사전 | 핸드폰
컴퓨터 | 게임

상품권 | 티켓 | 서비스 | 도서
보험 | 금융
여행 | 항공권 | 호텔
일본구매대행 도쿄홀릭

롯데백화점 ④ LOTTE
영캐주얼
여성의류
남성의류
스포츠
유니섹스
명품화장품
패션잡화
가정 · 생활
아동 · 유아
식품

영플라자 YOUNG
여성캐주얼
유니섹스캐주얼

유아전문관 BABY♡L

러브캣&더블엠
특가대전 최대 67%

CLOSE

대분류 매장을 배치하는 순서는 쇼핑몰이 추구하는 전략과 일관성이 있어야 한다. 거래액 중심으로 몰을 경영할 때는 단가가 높은 컴퓨터, 일반가전 매장을 맨 윗자리에 배치해야 한다. 방문자가 많은 순으로 매장을 배치할 때는 여성의류/속옷 매장을 맨 윗자리에 배치시켜, 고객의 매장 방문 편의성을 제공해야 한다.

몇군데 쇼핑몰의 대분류 매장 배치 사례를 보면 ❶은 방문자가 많은 패션 상품군을 배치하고 있으며, ❷는 거래액 외형을 키울 수 있는 상품군을 다른 쇼핑몰보다 상단에 배치하고 있으며, ❸은 화장품, 패션잡화를 키우는 전략으로 움직이고 있으며, ❹는 백화점 매장 상품을 주력으로 팔겠다는 판매전략을 읽을 수 있다.

이처럼 대분류 매장의 배치 순서는 거래액 기준이냐, 고객의 방문 빈도 기준이냐, 쇼핑몰의 중점 육성 카테고리 중심이냐 등에 따라 다양하게 나타날 수 있다.

05

속옷은 의류매장에서 같이 판매하라

"속옷매장을 독립매장으로 분리해 주십시오." 속옷 담당자가 상품 수가 늘어 나면서 의류/속옷 대분류 매장에서 속옷 대분류 매장을 요구하였다. 그래서 사업부에서 속옷매장을 의류와 분리하여 독립매장으로 만들었다. 그러나 기대와는 달리 속옷 매출이 의류매장과 같이 있을 때보다 줄어 들었다. 그때 얻은 경험으로 보면 속옷 매장은 의류매장과 같이 있어야 되고, 방문자가 가장 많은 의류매장에 온 고객들이 충동적으로 속옷을 구매하는 경향이 있음을 알았다.

여성의류 매장에 온 고객에게 속옷을 충동성 구매로 연결

G스탬프 1장
[막장세일]옵션없이1900원부터●신상10...
· 판매가 : 5,900원

현재 쇼핑몰에서 속옷 매장을 운영하는 유형을 보면 3가지가 있다. A 쇼핑몰의 경우, 여성의류 매장에서 여성속옷을 판매하고 있지만, 속옷 매장명칭을 표기 하지 않고 운영하고 있는 경우이다. 이럴 경우 속옷을 쇼핑하려는 고객이 대분류 매장을 방문할 경우 매장을 찾을 수 없기 때문에 고객을 놓칠 가능성이 높다.

B 쇼핑몰의 경우, 언더웨어 매장을 의류와 분리하여 독립매장으로 운영하고 있다. 이럴 경우 방문자와 체류시간이 높은 의류매장을 방문한 고객에게 충동성 구매가 가능한 속옷을 판매할 수 있는 기회를 놓칠 수 있다.

의류/속옷 대분류 매장의 유형별 특징

구분	A 쇼핑몰	B 쇼핑몰	G마켓
매장 분류 형태	· 여성의류 · 남성의류	· 여성의류 · 남성의류 · 언더웨어	· 여성의류/속옷 · 남성의류/정장/속옷
특징	· 여성의류내 속옷이 있으나 대분류 매장 명칭에서 표기하지 않음 · 속옷을 쇼핑하려는 고객이 매장을 찾을 수 없기 때문에 고객을 놓칠 가능성 높음	· 의류와 속옷매장을 분리하여 운영함 · 의류를 구매하기 위한 여성고객에게 충동성 구매가 가능한 속옷을 판매할 수 있는 기회를 놓칠 수 있음	· 남녀로 구분하여 의류/속옷 매장을 통합하여 운영함 · 의류-속옷간 방문자 시너지를 통해 판매 기회를 최대화 할 수 있음

G마켓의 경우, 의류와 속옷 매장을 함께 운영하여 방문자에 대한 시너지를 높이는 경우이다. 매장 중 가장 방문자가 많은 의류매장에서 섹시한 속옷을 충동구매나 연관구매로 판매할 수 있다. 하절기가 되면 바지를 구매하는 여성고객들에게 팬티 라인이 나타나지 않는 속옷을 권유하여 팔 수 있다.

G마켓 여성의류/속옷 매장을 방문해보면 티셔츠 뿐만 아니라 볼륨업 브라를 노출하여 충동구매를 자극하고 있음을 볼 수 있다.

G마켓의 여성의류/속옷 매장의 상품 진열

매장별 고객 방문자 수와 체류시간 조사를 해보면, 여성의류 매장이 가장 높다. 이는 여성고객들이 항상 새로운 패션 스타일에 대한 정보 수집을 하기 때문이다. 따라서 쇼핑몰은 의류매장의 방문자를 최대한 시너지가 날 수 있도록 상품 진열을 해야 한다.

속옷 뿐만 아니라 최근 아웃도어 추세에 맞추어 스포츠 매장에 진열되어 있는 스포츠 의류도 여성의류 매장에 진열시켜 매출을 높여야 한다.

06

유아동 매장의 상품진열은 사업부장이 챙겨라

대분류 매장은 의류, 침구, 이미용 등과 같이 상품군별로 구분되어져 있다. 하지만 유아동 매장은 연령을 기준으로 매장을 만든 곳이다. 상품군 담당자는 자기 담당 상품매장에만 유아동 상품을 진열하고, 유아동 매장에 진열은 대체로 하지 않는 편이다. 왜냐하면, 유아동 담당자는 유아동 매장에 자기가 진열한 상품의 실적으로 평가받기 때문이다.

유아동 매장 상품 진열의 특징

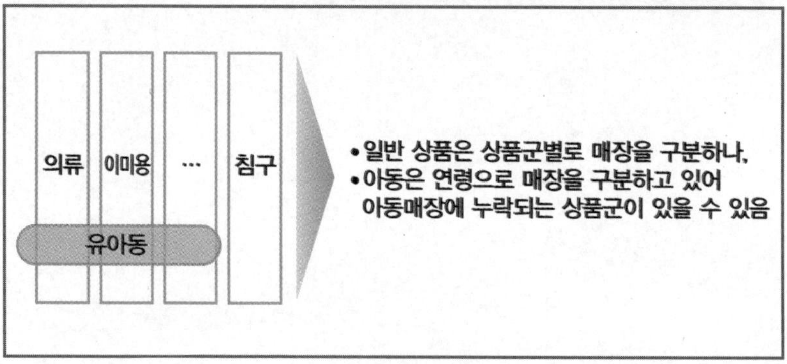

하지만 유아동 매장을 방문한 고객은 유아동 매장에서 원스톱 쇼핑을 하기를 원한다. 따라서 사업부장은 고객에게 편의가 제공될 수 있도록 유아동 매장의 상품 진열을 관리 해야한다. 사례를 보면, 유아동 침구가 유아동 매장에는 없고, 가구/침구/인테리어 매장에만 있다. 즉, 유아동 침구를 구매하기 위해 유아동 매장에 방문한 고객은 침구가 없다고 인식하여, 판매기회를 놓칠 수가 있다.

유아동 침구 매장이 진열된 위치

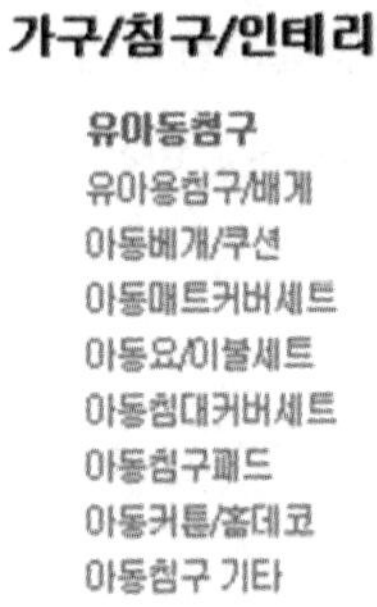

- 유아동 침구가 가구/침구/인테리어 매장에만 진열되어 있음
- 유아동 매장에 온 고객은 유아동 침구가 없다고 인식할 수 있음

07 네이버 지식쇼핑에 있는 소분류 매장을 반영하라

소분류 매장은 고객의 쇼핑 니즈가 집중되고, 고객의 쇼핑 세그멘테이션이 구분되어지는 매장이다. 고객의 니즈별로 구분되는 소분류 매장 운영은 쇼핑몰의 매출과 직결된다.

고객이 원하는 소분류 매장을 운영하기 위해 필요한 정보 소스는 3가지로 요약할 수 있다. 첫째, 네이버 지식쇼핑이 운영하고 있는 소분류 매장을 파악한다. 네이버 지식쇼핑에는 입점된 7,800여개의 쇼핑몰 상품이 매장별로 진열되어져 있다. 네이버 지식쇼핑은 매장을 만들기 위해 지식쇼핑에서 고객들이 검색하는 키워드를 분석하여 소분류 매장을 만든다. 즉 네이버 지식쇼핑의 매장분류는 고객들이 많이 찾고, 원하는 매장이다.

둘째, 쇼핑몰내 고객 검색 키워드를 파악해야 한다. 네이버 지식쇼핑의 소분류 매장은 특정 쇼핑몰의 특성이 반영되지는 않는다. 따라서 특정 쇼핑몰이 특화된 상품이나 타겟으로 하는 고객층이 찾는 매장을 만들기 위해서는 쇼핑몰을 방문한 고객이 찾는 검색 키워드를 파악해서 반영해야 한다. 이렇게 하기 위해서는 쇼핑몰 내부 키워드 관리 시스템에 누적되는 키워드를 상품군별 시즌성 키워드, 인기성 키워드를 분석하여, 상품군별 매장운영에 반영될 수 있는 업무 프로세스가 운영되어야 한다.

고객이 원하는 소분류 매장 만드는 법

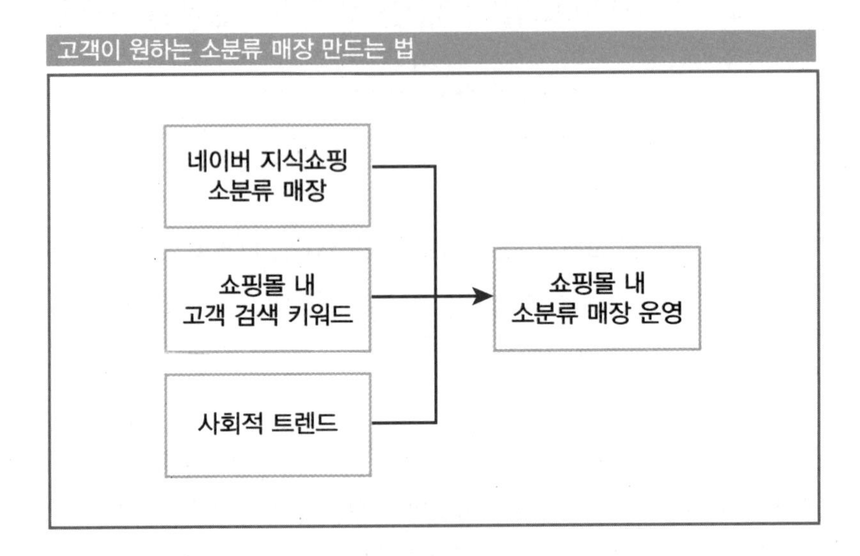

마지막으로, 사회적 트렌드를 매장에 반영해야 한다. 이는 시대적 상황이나 시즌적 특수성을 판단하여 소분류 매장을 운영해야 한다. 예를 들면, 고령화 추세에 따른 '시니어', 경기 위축에 따른 '스몰 럭셔리' 매장을 만든다.

G마켓의 원피스 의류 담당자가 소분류 매장을 개편하기 위해 네이버 지식쇼핑을 활용할 수 있는 예를 보자. 의류 담당자는 네이버 지식쇼핑에서 운영하고 있는 원피스 매장중 G마켓 원피스 매장에는 없는 ❶ 파티 드레스, ❷ 민소매 원피스, ❸ 베이비돌 원피스, ❹ 오프숄더 원피스 매장을 G마켓 원피스 소분류 매장 개편에 반영할 수 있다.

네이버 지식 쇼핑의 원피스 매장 분류

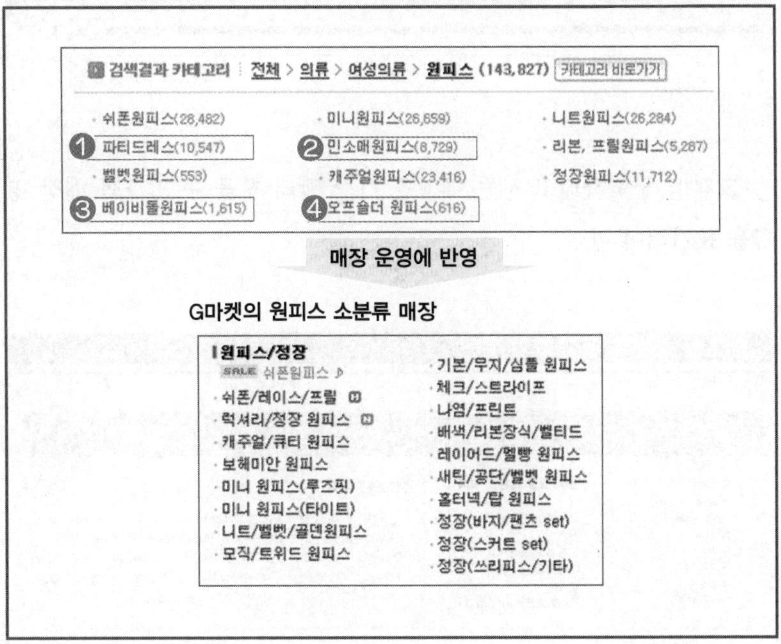

검색결과 카테고리 : 전체 > 의류 > 여성의류 > 원피스 (143,827) 카테고리 바로가기

· 쉬폰원피스(28,482) · 미니원피스(26,659) · 니트원피스(26,284)
❶ 파티드레스(10,547) ❷ 민소매원피스(8,729) · 리본, 프릴원피스(5,287)
· 벨벳원피스(553) · 캐주얼원피스(23,416) · 정장원피스(11,712)
❸ 베이비돌원피스(1,615) ❹ 오프숄더 원피스(616)

매장 운영에 반영

G마켓의 원피스 소분류 매장

원피스/정장

SALE 쉬폰원피스 ♪

· 쉬폰/레이스/프릴
· 럭셔리/정장 원피스
· 캐주얼/큐티 원피스
· 보헤미안 원피스
· 미니 원피스(루즈핏)
· 미니 원피스(타이트)
· 니트/벨벳/골덴원피스
· 모직/트위드 원피스
· 기본/무지/심플 원피스
· 체크/스트라이프
· 나염/프린트
· 배색/리본장식/벨티드
· 레이어드/멜빵 원피스
· 새틴/공단/벨벳 원피스
· 홀터넥/탑 원피스
· 정장(바지/팬츠 set)
· 정장(스커트 set)
· 정장(쓰리피스/기타)

08

매장 명칭을 표기하는 원칙을 만들어라

고객이 클릭하려고 하는 매장을 가장 빨리 찾을 수 있도록 매장 명칭을 표기해야 한다.

쇼핑몰별 소분류 매장 표기 유형

① 영문 표기	② 한글 표기	③ 영문 및 한글 혼용 표기
명품/예물시계 ALVIERO MARTINI Bally/Burberry BULOVA Cartier CERRUTI epos Fendi/Gucci	명품/정장 브랜드 시계 HOT 브랜드최고80% · 갤럭시/로가디스 · 게스 · 구찌/오리스/펜디 · 디젤/테크노마린 · 로만손 · 루이까또즈/아이스버그	수입브랜드시계 인빅타 | 쥬시꾸뛰르(Juicy Couture) | AXCENT | Alessi 알레시 ck watches | CKJ watches | BUBEN&ZORWEG(부벤&제르벡) Diesel | cacharel | CERRUTI 세루티 | DANISH DESIGN | E FURLA | ELYSEE | F1 (Formula1) | tsumori chisato | GLYC

쇼핑몰별로 매장을 담당하는 담당자 취향에 따라 표기되는 것이 매장 명칭 표기 방법이다. 몰을 오픈하거나 개편한 초기에는 찾기 쉽게 매장 명칭이 정리되지만, 시간이 지나고 담당자가 바뀌는 등 이런 저런 사유로 매장 표기가 어수선해 진다. 쇼핑몰의 소분류 매장이 ❶ 영문 표기 형태, ❷ 한글 표기 형태, ❸ 영문 및 한글 혼용 형태가 있다.

매장 명칭은 한글로 표기하는 것이 가장 효과적이다. 영문은 가독성이 떨어지고, 영문과 한글을 혼용할 경우 매장을 찾는데 혼잡스러운 느낌이 든다. 실제 영문명으로 된 매장을 한글로 바꾸었을 때 매출이 더 많이 나온다.

한글로 매장을 만들 경우 매출이 더 많이 나오는 이유는 매장의 가독성이 높아지는 것도 있지만, 고객이 검색을 할 때 영어보다는 한글로 검색을 더 많이 하기 때문이다. 검색할 때마다 한글로 된 소분류 매장이 고객에게 노출됨으로서 보다 많이 판매될 수 있는 기회를 가질 수 있다.

이러한 경험에 기초해 매장명칭 표기 원칙은 첫째, 한글 (ㄱ~ㅎ)> 영문 (A~Z)> 숫자 (0~9)로 해서 배열한다. 둘째, 한글로 표기하는 것을 최우선으로 한다. 영문 표기는 고객이 영문으로 검색할 경우에만 한다.

매장 명칭 표기 원칙

구분	주요 내용
매장 배열 순서	• 한글 (ㄱ~ㅎ) • 영문 (A~Z) • 숫자 (0~9)
매장 명칭 표기	• 한글로 표기하는 것을 최우선 반영함 고객이 검색할 때 한글로 하는 경우가 많기 때문임 • 고객이 영문으로만 검색하는 키워드에 한해 영문으로 표기함

패션잡화, 명품, 쥬얼리 등 영문으로 매장 명칭이 표기된 상품군이 많이 있다. 고객이 검색하는 행동분석을 파악하고 한글로 매장 표기를 바꾸면 매출이 올라간다. 매장 담당자들이 매장 명칭 변경으로 매출을 올릴 수 있는 경험을 해보시길 바란다.

09

고객의 구매 의사결정 순으로 소분류 매장을 구분하라

특정 상품의 경우 쇼핑몰별 소분류 매장을 전혀 다르게 운영하고 있는 것을 발견할 수 있다. 이는 고객이 구매할 때 중요하게 생각하는 의사결정 요소에 대한 입장이 상이하기 때문이다. 예를 들어, 브랜드와 크기 중 구매시 더 중요하게 생각하는 요소가 다를 수 있다.

예를 들면, 컴퓨터 모니터의 소분류 매장유형을 보면 3가지가 있다. ❶ 모니터 크기를 기준으로한 매장, ❷ 브랜드를 기준으로한 매장, ❸ 브랜드와 크기를 동시에 선택할 수 있는 매장이 있다. 고객 입장에서 판단했을 때 브랜드별 크기로 매장을 선택할 수 있는 유형이 찾기 편할 것이다.

쇼핑몰별 구매 의사결정 요소에 의한 매장 분류 유형

① 크기	② 브랜드	③ 브랜드별 크기
LCD모니터 38cm(15형)이하 43cm(17형) 48cm(19형) 50cm(20형) 55cm(22형) 60cm(24형)이상	**I 모니터** HOT 신학기맞이! · 기타브랜드 · LG · 삼성 SyncMaster · 다비디스플레이 · TG삼보 · 오리온 Topsync · 데이시스템 · BENQ · 알파스캔 · BTC · 디스플레이랜드	**모니터** **· 삼성전자** 삼성 전체 보기 26인치 이상 24인치 22인치 17인치 아카데미 대축제 **· LG전자** LG 전체 보기 22인치 20인치 19인치 17인치 **· 브랜드 보기** LG전자 삼성전자 Apple TG삼보 오리온 알파스캔 **· 모니터 크기로 보기** 24인치 이상 22인치 20 인치 이상 19 인치 17 인치 이상

10 브랜드로 소분류 매장을 구분하라

골프 상품에 대해 찾기 쉬운 소분류 매장운영에 대해 살펴보자. 골프 상품은 풀세트를 구입하고 어느 정도 사용하고 나면, 드라이버를 교체한다든지, 아이언을 부분적으로 교체한다든지, 우드를 추가 구매해서 타수를 줄일려는 소비 패턴을 보인다.

골프 소분류 매장 세분화 비교

A쇼핑몰	G마켓		
골프 풀세트 드라이버 아이언 페어웨이 우드 퍼터 웨지 왼손전용클럽 중고골프용품 골프웨어 골프용품	① **풀세트** SALE 풀셋초특가전! · 남성풀세트 · 여성풀세트 **드라이버** SALE 日本버너20만원 · 테일러메이드 · 야마하/타이틀리스트 · 캘러웨이/벤호건 · 브랜드기타 · 브리지스톤/PING · 던롭/PRGR · 마루망/코브라 · 카타나/기가/혼마 · 나이키/니켄트 · 맥그리거/YES · 다이와/미사일 · 클리브랜드/E2	**아이언** · 미즈노/코브라 · 테일러메이드 · 나이키/PRGR · 브리지스톤 · 캘러웨이 · 다이와/에스야드 · 야마하/카스코 · 브랜드기타 · 던롭/맥그리거 · 마루망/E2/혼마 · 핑/클리브랜드 · 타이틀리스트	**페어웨이우드** SALE 미사일49000원 · 테일러메이드 · 미사일/카스코 · 브랜드기타 · 캘러웨이/핑 · 기가/클리브랜드 · 다이와/나이키 · 마루망/던롭/혼마 · 야마하/맥그리거 **유틸리티우드** · 니켄트/데이비드 · 테일러메이드 · 브랜드기타 · 미사일/던롭 · 나이키/기가 · 캘러웨이/핑 · 카스코/야마하 · 클리브랜드/혼마

골프 상품은 브랜드가 중요한 구매의사 결정 요소이다. 브랜드별 가격대가 정해져 있고, 핸디캡 수준에 따라 선호하는 브랜드가 있기

때문이다.

G마켓의 경우 A 쇼핑몰에 비해 소분류 매장을 찾기 쉽게 구성해두고 있다. G마켓은 ❶ 풀세트를 남성과 여성으로 구분하여 고객의 성별에 따라 찾기 쉽게 하였다. 드라이버, 아이언 및 페어웨이우드는 브랜드별로 매장을 구분하여 찾기 쉽게 되어 있다.

반면 유틸리티우드 매장의 경우 A 쇼핑몰에는 없지만, G마켓은 매장을 운영하고 있다. 유틸리티우드는 타수를 줄일려는 주말 골퍼들에게 인기있는 클럽종류이다. 네이버에서 키워드 검색을 해보니, G마켓은 유틸리티우드 키워드 광고를 하고 있지만, A 쇼핑몰은 하지 않고 있다.

유틸리티우드 키워드 검색 결과 페이지

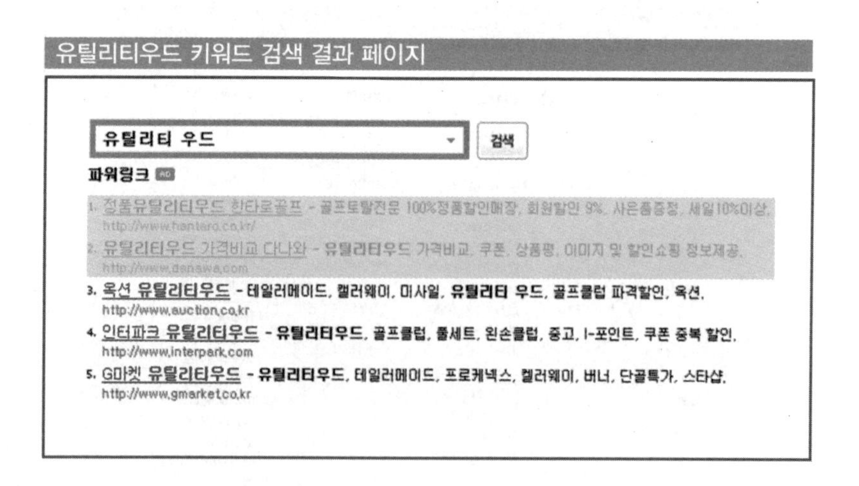

A 쇼핑몰의 경우 매장을 통해 유틸리티 우드를 구매하려는 고객들에게 상품을 판매할 기회를 놓칠 우려가 높다.

11 디자인으로 소분류 매장을 구분하라

특정 소분류 매장의 상품이 디자인에 의해 고객이 세그멘테이션 된다면, 디자인에 의해 매장을 세분화하는 것이 필요하다.

민소매/나시 티의 경우 A 쇼핑몰은 단일 매장으로 운영하고 있지만, G마켓은 디자인의 종류에 따라 기본, 롱, 캡내장, 레이스의 4개 매장으로 세분하여 운영하고 있다.

민소매/나시 소분류 매장 세분화 비교

A쇼핑몰	G마켓
티셔츠	티셔츠
기본/무지 티셔츠	HOT 반값! 신상티
라운드넥/U넥 티	롱/원피스 티셔츠
후드 티셔츠	캐릭터/로고/프린트 티
원피스형 롱 티셔츠	루즈핏/박스티셔츠
캐릭터/프린트/로고 티	기본/무지/민무늬티
민소매/나시 티	기타 라운드 티셔츠
커플티/단체 티셔츠	브이넥 티셔츠
카라/셔츠 티셔츠	스트라이프/레이어드티
스트라이프/체크 티	쉬폰/레이스/셔링 티
프릴/셔링 티셔츠	후드/맨투맨 티셔츠
보트넥/오프숄더넥 티	롱후드/맨투맨 티셔츠
브이넥 티셔츠	민소매/나시(기본)
SET구성 티셔츠	민소매/나시(롱)
터틀넥/폴라 티셔츠	민소매/나시(캡내장)
루즈핏(박스)티셔츠	민소매/나시(레이스)
맨투맨 티셔츠	터틀넥/폴라 티셔츠
캡소매/퍼프소매 티	셔츠카라/카라 티셔츠
HIT티셔츠 모음	캡소매/퍼프소매티
롤업/7부 티셔츠	소매롤업/7부 티셔츠
레이스/비즈/스팽글 티	

민소매를 구매할려고 방문한 고객은 원하는 디자인 매장을 쉽게 찾을 수 있다.

12 7㎝ 기준으로 소분류 매장을 구분하라

하이힐을 구매하려는 고객들은 힐높이가 구매 결정의 첫번째 요소이다. G 마켓은 기본하이힐을 굽높이 7㎝ 기준으로 매장을 구분하고 있다. 주변 여직원들의 의견이 힐높이가 7㎝ 이상이면 허리에 무리가 오는 느낌이 들고, 7㎝ 이하면 별무리가 없다고 한다. 그래서 하이힐 매장은 7㎝ 이상인 매장과 이하인 매장을 구분해야 고객들이 찾기 쉽다.

하이힐 소분류 매장 세분화 비교

A쇼핑몰	G마켓
여성화	여성하이힐/펌프스
하이힐	HOT 유명판매자신상
단화	· 기본하이힐(7cm이상)
수제화	· 기본하이힐(7cm이하)
오픈형슈즈	· 통굽하이힐(가보시)
부츠	· 통굽하이힐(통굽)
샌들	· 통굽하이힐(웨지힐)
파티/클럽슈즈	· 소재별(천연가죽)
실내화(학생용실내화)	· 소재별(에나멜)
실내화(겨울용)	· 소재별(스웨이드)
실내화(사계절)	· 소재별(새틴)
	· 소재별(호피/뱀피)
	· 오픈형슈즈(사이드)
	· 오픈형슈즈(오픈토)
	· 오픈형슈즈(오픈백)
	· 파티/클럽슈즈

또한 G마켓은 신발의 오픈 형태에 따라 매장을 구분하여, 하이힐을 구매하려는 고객들이 취향별로 찾기 쉽게 매장을 구분하고 있다.

13

월령별로 소분류 매장을 구분하라

유아동 상품을 구매하려는 고객은 제일 먼저 고려하는 것이 아기가 몇 개월 되었냐이다. 즉 월령이 어느 정도인가를 제일 먼저 고려한다.

하기스 기저귀 매장의 경우 G마켓은 월령에 따라 골드 1~2단계, 3~4단계, 5단계로 구분하여 운영하고 있다. 쇼핑할 시간이 부족한 엄마들이 월령에 따라 빨리 매장을 찾을 수 있도록 하고 있다.

하기스 소분류 매장 세분화 비교

A쇼핑몰	G마켓
기저귀/물티슈/생리대	I기저귀-하기스
하기스	· 매직팬티
보솜이	· 보송보송
LG마망	· 골드 1~2단계
국내기저귀	· 골드 3~4단계
해외기저귀	· 골드 5단계
GOO.N	· 크린베베
절약형/기능형기저귀	· 네이처메이드
MERRIES	
무니/무니망/팸퍼스	

아동 담당자가 결혼하여 쌍둥이 아빠가 되었다. 아빠가 된 후 부터 아동매출이 더 올라가는 것이다. 아빠가 된 아동 담당자는 월령별로 매장을 세분화해야 고객이 상품 찾기가 쉬워진다는 것을 알게 되었다.

14 세트 매장은 찾기 쉽게 구분하라

소분류 매장 중에서 클릭하기가 제일 애매한 매장이 세트 매장이다. 세트 매장은 상하의 코디, 상의 2벌 등으로 구성되어 있으며, 여성의류의 소분류 매장에서 자주 볼수 있다. 매장 명칭이 '세트 상품'으로 되어 있어 쇼핑하는데 시간이 넉넉하지 않으면 클릭하기가 쉽지 않은 매장이다.

세트 상품의 예

따라서 '세트 상품' 매장을 중분류 매장으로 해서 세트의 유형별로 소분류 매장을 찾기 쉽게 만들면 G마켓을 앞지르는데 도움이 될 것이다.

세트 상품 매장의 세분화의 예

세트 상품

- 티 + 원피스
- 티 + 바지
- 티 7종 세트

예를 들면, 티 + 원피스 세트, 티 + 바지 세트 등 세트의 구성 내용이 명확히 전달되는 매장명칭을 사용하면, 세트 상품의 매출이 높아질 것이다.

15

찾기 쉬운 매장으로 계속 변화하라

고객이 찾기 쉬운 매장이 될려면 고객이 찾는 검색 키워드, 시대적 트렌드에 의해 지속적으로 변화해야 한다.

G마켓의 대분류 매장을 2007년과 2009년의 변화 내용을 한번 보자. 첫째, 고객이 검색하는 용어로 매장 명칭을 바꾸었다. ❶ '중고재고시장'을 '골동품/수집품/중고시장'으로 쉽게 변경하였다. ❷ '교구'를 '교육완구'로 쉬운 표현으로 변경하였다. ❸ '건강/음료/가공식품'을 '차/음료/과자/가공식품'로 상품의 느낌이 직접 전달되는 표현으로 변경하였다.

G마켓의 대분류 매장의 변화

2007년 12월

컴퓨터/전자	패션/명품/잡화	출산/유아동/식품	뷰티/스포츠/자동차	가구/건강/리빙	도서›/여행›/e쿠폰›
· 컴퓨터/모니터/프린터	· 여성 의류/속옷	· 기저귀/분유/생리대	· 화장품/미용/다이어트	· 가구/DIY	· 도서/음반/DVD
· PC부품/주변기기	· 남성의류/정장/속옷	· 출산/유아용품/임부복	· 골프클럽/의류/용품	· 생활/주방/수납/욕실	· 여행/호텔/항공권
· 휴대폰/액세서리	· 빅사이즈/시니어의류 m	· 유아동의류/신발/가빙	④ 스키/등산/낚시/캠핑	· 침구/인테리어	· 티켓/상품권/금융
· 대형가전/TV/에어컨	· 명품/국내/해외브랜드	② 장난감/교구/인형	· 헬스/수영/레저/취미	· 건강/애완/악기/성인	· 외식/미용실/생활쿠폰
· 소형/주방/계절/음향	· 여성화/남성화/패션화	· 쌀/과일/정육/수산물	· 스포츠 의류/운동화	· 문구/사무/공구/기계	· 영화/만화/강좌/잡지
· 디카/MP3/게임/사전	· 가방/지갑/시즌잡화	③ 건강/음료/가공식품	· 자동차용품/네비게이션	· 꽃배달/화분/팬시소품	· 항공권가격비교
① 중고재고시장	· 쥬얼리/시계/선글라스	· 이마트/인터파크/농	⑤ 스키/보드 특가전	· 대량구매/견적서비스	· 실시간호텔예약

2009년 2월

컴퓨터/전자	패션/명품/잡화	출산/유아동/식품	뷰티/스포츠/자동차	가구/건강/리빙	도서›/여행›/e쿠폰›
· 컴퓨터/모니터/프린터	· 여성 의류/속옷	· 기저귀/분유/생리대	· 화장품/미용/다이어트	· 가구/DIY	· 도서/음반/DVD
· PC부품/주변기기	· 남성의류/정장/속옷	· 출산/유아용품/임부복	· 골프클럽/의류/용품	· 생활/주방/수납/욕실	· 여행/호텔/항공권
· 휴대폰/액세서리	· 빅사이즈/시니어의류	· 유아동의류/신발/가	④ 등산/낚시/캠핑/스키	· 침구/인테리어	· 공연/스포츠/영화티켓
· 대형가전/TV/에어컨	· 명품/국내/해외브랜드	② 장난감/교육완구/인형	· 헬스/레저/취미/수영	· 건강/애완/악기/성인	· 외식/미용실/생활쿠폰
· 소형/주방/계절/음향	· 여성화/남성화/패션화	· 쌀/과일/정육/수산물	· 스포츠의류/운동화	· 문구/사무/공구/기계	· 만화/운세/VOD/게임
· 디카/MP3/게임/사전	· 가방/지갑/시즌잡화	③ 차/음료/과자/가공식품	· 자동차용품/네비게이션	· 꽃/화분/팬시/상품권	· 항공권비교/도매시장
① 골동품/수집품/중고시장	· 쥬얼리/시계/선글라스	⑥ 건강식품/다이어트/홍삼	· 중고차/자동차	· 삼성플라자/이마트	⑦ 아트마켓/선물가게

둘째, 시대적 트렌드를 반영하는 매장을 신설하였다. 2009년 매장에 새롭게 보이는 것이 ❻ '건강식품/다이어트/홍삼', ❼ '아트마켓/선물가게'가 있다. 특히 우리나라 일반인 10명중 7명이 관심을 가지는 다이어트, 건강식품 중에서 가장 많이 팔리는 홍삼을 대분류 매장명에 노출하여 고객의 소비 트렌드를 반영하고 있다.

세째, 시즌에 따라 고객이 먼저 찾는 매장을 앞쪽에 배치하는 섬세한 관리를 하고 있다. 2007년 12월에는 ❺ '스키/보드 특가전'을 대분류 매장으로 운영하여 시즌 고객에게 매장을 쉽게 찾을 수 있게 하고 있다. ❹ '스키' 매장이 12월과 2월에는 위치가 바뀌어 있는 것도 섬세한 고객 배려이다.

16

매장을 분리한 후에 매출이 떨어 진다면…

속옷 상품 담당자의 소원이 대분류 독립매장을 가지는 것이었다. 독립된 대분류 매장을 가지고 싶어하는 것은 속옷 담당자 뿐만 아니라 상품을 담당하는 대부분의 실무자들의 소망이다. 독립된 매장에서 상품진열도 마음껏 해보고, 협력업체에게도 많은 제안을 할 수 있기 때문이다.

쇼핑몰 개편 시기에 의류/속옷 매장을 분리해서 속옷 대분류 매장을 만들었다. 하지만 매출로 나타나는 실적은 오히려 역신장을 달리고 있었다. 원인은 2가지로 밝혀 졌다. 첫째, 방문자가 많은 의류매장과 분리됨으로써 속옷 단독매장으로 들어오는 방문자가 떨어졌기 때문이었다. 둘째, 네이버로 보내는 상품 DB에서 누락되어 상품 검색이 안되고 있기 때문이었다.

종합몰의 경우 상품 수가 약 30 ~ 50만개, 오픈마켓의 경우 약 300 ~ 500만개 로 상품수가 늘어나면서 대분류 매장은 지속적으로 늘어날 것이다. 매장을 분리한 후에 매출이 떨어지면, 체크해야 하는 것이 방문자 변화추세, 포탈 및 가격비교로 상품 DB가 정상적으로 넘어가는지를 확인해야 한다.

제 7 부
검색 결과 페이지를 매장처럼 관리하라

포인트

- 검색 결과 페이지를 비교하여, 오픈마켓의 거래액이 종합몰 보다 클 수 밖에 없는 이유를 분석하였다. 검색 결과 페이지를 매장으로 인식해야 할 필요성을 이해한다.
- 통합 검색 페이지를 통해 중점 전략을 실행하는 방법을 이해한다.
- G마켓이 통합 검색 결과 페이지를 통해 직접방문 확대, 단골고객 확대, 상품구매에 필요한 정보제공 등 전략 실행내용을 확인한다.

제 7 부 검색 결과 페이지를 매장처럼 관리하라

01

검색 결과 페이지를 매장처럼 챙겨라

찾기 쉬운 매장 만들기 다음으로 쇼핑몰의 매출을 올릴 수 있는 방법이 검색 결과 품질을 향상하는 것이다. 쇼핑몰의 검색 결과 페이지를 매장처럼 잘 정돈되게 관리하면, 추가적인 마케팅 비용 투입 없이도 매출을 올릴 수 있다.

G마켓과 같은 오픈 마켓은 키워드 별로 판매자들이 경쟁입찰하여 낙찰을 받으면, 해당 키워드 검색 페이지에 낙찰받은 판매자들의 상품이 페이지 상단에 진열된다. 예를 들어, G마켓에서 여성의류 '원피스' 키워드를 25,000원에 낙찰받으면, 하루동안 검색 페이지 상단에 진열된다.

G마켓 '원피스' 키워드 낙찰현황

원피스 현재입찰정보

총입찰수	14명	광고수	최대 8개
전시가능최저가	23,600캐시/하루	입찰시작가	1,000캐시/하루
입찰최고가	90,100캐시/하루	입찰단위	100캐시

입찰가	광고상태	입찰가	광고상태
90,100 캐시/하루	ON	31,100 캐시/하루	ON
90,000 캐시/하루	ON	25,000 캐시/하루	ON
86,000 캐시/하루	ON	25,000 캐시/하루	ON
52,100 캐시/하루	ON	23,700 캐시/하루	대기
34,500 캐시/하루	ON	23,500 캐시/하루	대기

입찰하기

그림처럼 G마켓을 방문한 고객이 '원피스' 키워드 검색을 하게 되면 낙찰받는 8명의 판매자 상품이 리스팅되어 검색결과 페이지를 보여준다.

G마켓 '원피스' 키워드 검색 시 낙찰된 판매자의 상품 진열 매장

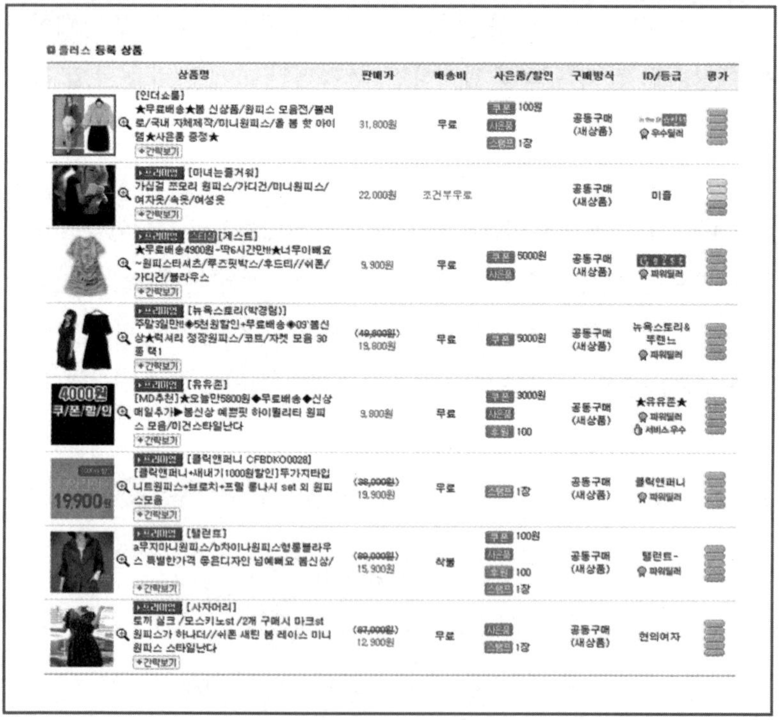

플러스 등록 상품

상품명	판매가	배송비	사은품/할인	구매방식	ID/등급	평가
[인더쇼룸] ★무료배송★봄 신상품/원피스 모음전/블레로/국내 자체제작/미니원피스/올 봄 핫 아이템★사은품 증정★ +간략보기	31,800원	무료	쿠폰 100원, 사은품, 스탬프 1장	공동구매 (새상품)	우수딜러	
프리미엄 [미녀는즐거워] 가십걸 쯔모리 원피스/가디건/미니원피스/여자옷/속옷/여성옷 +간략보기	22,000원	조건부무료		공동구매 (새상품)	미즐	
프리미엄 [게스트] ★무료배송4900원-딱6시간만!!★너무이뻐요~원피스티셔츠/루즈핏박스/후드티//쉬폰/가디건/블라우스 +간략보기	9,900원	무료	쿠폰 5000원, 사은품	공동구매 (새상품)	파워딜러	
프리미엄 [뉴욕스토리(박경림)] 주말3일만!!◆5천원할인+무료배송◆09'봄신상★럭셔리 정장원피스/코트/자켓 모음 30종 택1 +간략보기	(~~49,800원~~) 19,800원	무료	쿠폰 5000원	공동구매 (새상품)	뉴욕스토리&루렌느 파워딜러	
프리미엄 [유유존] [MD추천]★오늘만5800원◆무료배송◆신상매일추가▶봄신상 예쁜핏 하이퀄리티 원피스 모음/미건스타일난다 +간략보기	9,800원	무료	쿠폰 3000원, 사은품, 100	공동구매 (새상품)	★유유존★ 파워딜러 서비스우수	
프리미엄 [클릭앤퍼니 CFBDKO0028] [클릭앤퍼니+새내기1000원할인]두가지타입 니트원피스+브로치+프릴 롱나시 set 외 원피스모음 +간략보기	(~~38,000원~~) 19,900원	무료	스탬프 1장	공동구매 (새상품)	클릭앤퍼니 파워딜러	
프리미엄 [탤런트] a무지마니원피스/b차이나원피스형롱블라우스 특별한가격 좋은디자인 넘예뻐요 봄신상/ +간략보기	(~~89,000원~~) 15,900원	착불	쿠폰 100원, 사은품, 100, 스탬프 1장	공동구매 (새상품)	탤런트- 파워딜러	
프리미엄 [사자머리] 토끼 실크 /모스키노st /2개 구매시 마크st 원피스가 하나더//쉬폰 새틴 봄 레이스 미니원피스 스타일난다 +간략보기	(~~87,000원~~) 12,900원	무료	사은품, 스탬프 1장	공동구매 (새상품)	현의여자	

하루 키워드 광고비를 지불하고 상품을 노출한 판매자들이 최대한 판매를 하기 위해 상품 이미지, 상품명, 상품설명, 사은품 등을 제공한다는 정보를 고객에게 제시하고 있다. 즉, 오픈마켓이 종합몰보다 매출을 많이 올릴 수 있는 매장관리 방법 중 하나가 키워드 검색 페이지

매장을 보다 잘 관리하고 있기 때문이다.

반면 종합몰의 경우 상대적으로 키워드 검색 페이지 매장에 대한 관리가 보강 되어야 한다. 조직내 업무 분장에 의해 상품 담당자는 자기 담당 상품매장을 관리 범위로 한다. 마케팅 부서의 담당자는 포털, 오버추어 등 외부 키워드 업체와 키워드 운영에 대한 업무를 관리 범위로 한다.

하지만 종합몰로 직접 방문한 고객들이 검색하는 키워드 검색 결과 페이지는 관리하는 주체가 불분명하다. 검색 결과 페이지를 매장으로 인식해서 집중 관리해야 한다.

오프라인 매장과는 달리 키워드 검색 결과 페이지는 인터넷 쇼핑몰에서만 존재하는 매장인 것이다. 검색 결과 페이지를 매장으로 생각해서 꼼꼼하게 관리하면 매출에 큰 도움이 된다.

그림은 B종합몰에서 여성의류 구매 고객들이 많이 찾는 대표 키워드 '원피스'를 검색한 결과 페이지이다. 검색의 정확도 기준에 의해 나온 결과 페이지이다. 상품명에 '원피스'가 있는 의류, 시계 등 여러 카테고리의 상품들이 혼재되어 나오고 있음을 알 수 있다. 즉, 키워드 검색 결과 페이지를 매장으로 인식하지 않고, 관리하는 담당자도 없음을 알 수 있다. 이럴 경우, 고객은 검색 결과 페이지에서 상품을 찾는데 시간이 많이 소요될 것으로 판단하고 다른 쇼핑몰로 이탈할 가능성이 높다.

B 종합몰의 '원피스' 키워드 검색 결과 페이지

고객들이 쇼핑을 할 때 검색을 하는 이유는 원하는 상품을 빨리 정확하게 찾기 위해서 이다. 종합몰이 키워드를 판매하는 오픈마켓 보다 거래액 규모가 작은 중요한 이유 중에 하나가 키워드 검색 결과 페이지를 운영하는 역량차이 이다. 종합몰이 거래액 격차를 줄일 수 있는 방법이 고객이 검색하는 키워드 결과 페이지를 매장처럼 관리할 수 있는 역량을 확보하는 것이다.

상품 카테고리별 검색 상위 키워드, 마케팅 관점의 시즌 키워드 등을 우선적으로 관리해 볼 것을 권한다. 만약 자원의 한계가 있다면, 고객이 많이 검색하는 키워드 100개 정도는 검색 결과 페이지를 매장으로 인식하고, 담당자를 정해서 집중 관리해서 성과를 확인해보자. 그러면 고객이 원하는 상품을 쉽게 찾을 수 있고, 매출도 올라 갈 것이다.

실제 고객의 클릭 행동을 분석해 보면, 검색창을 통한 거래액 비중이 2~30%이다. 즉, 검색창에 키워드를 입력하고 검색결과 페이지에서 원하는 상품 페이지로 이동한다. 쇼핑몰의 상품수가 지속적으로 증가하기 때문에 검색결과 페이지 품질이 높을수록 매출도 높아질 것이다.

02

어떤 키워드 매장을 관리 할 것인가

G마켓 등 오픈마켓 쇼핑몰은 키워드를 판매자에게 판매하지만, 롯데닷컴 등 종합몰은 키워드를 판매하는 광고 영업은 하지 않거나 극히 부분적으로만 도입하고 있다. 따라서 키워드 검색 페이지 매장에 대해 선택과 집중을 해서 관리해야 한다.

네이버 지식쇼핑 월별 인기 키워드(6월)

순위	키워드	순위	키워드	순위	키워드	순위	키워드
1	핸드폰	26	모기장	51	LCD모니터	76	LCDTV
2	휴대폰	27	가방	52	버켄스탁	77	향수
3	엠피쓰리	28	비키니	53	수제화샌들	78	골프채
4	PMP	29	선글라스	54	축구화	79	우산
5	네비게이션	30	컴퓨터	55	폴로	80	캐논
6	노트북	32	이어폰	56	레스포삭	82	MCM
7	에어컨	33	에어콘	57	아디다스	83	빈폴지갑
8	MP3	34	슬리퍼	58	아이나비	84	MCM지갑
9	선풍기	35	아이리버	59	면원피스	85	메쉬백
10	전자사전	36	TV	60	카오디오	86	스피커
11	닌텐도DS	37	외장하드	61	복합기	87	지갑
12	디카	38	샤인폰	62	세탁기	88	푸마시계
13	PSP	39	미니스커트	63	리바이스	89	냉풍기
14	원피스	40	DSLR	64	아쿠아슈즈	90	화장품
15	자전거	41	모니터	65	조리	91	벌룬원피스
16	닌텐도	42	데님원피스	66	리본플랫	92	그래픽카드
17	디지털카메라	43	꽉구라대신	67	프라다폰	93	모자
18	수영복	44	노무현	68	도트슈즈	94	청소기
19	자동차보험	45	아리랑	69	SD메모리	95	나이키신발
20	시계	46	김태경	70	의자	96	줄무늬백
21	냉장고	47	침대	71	모기퇴치	97	접이식소파
22	PDA	48	샌들	72	셔링티셔츠	98	프린터
23	USB메모리	49	웨지힐샌들	73	티셔츠	99	뱅글팔찌
24	나이키	50	커플링	74	루이비통	100	핑크소파
25	오토바이			75	반바지		

자료 : 네이버 지식쇼핑 월별 인기 키워드, 2007년 6월

우선, 네이버 지식쇼핑에서 쇼핑정보를 탐색하기 위해 많이 검색하는 상위 키워드 100개를 파악해야 한다. 네이버에서는 월별로 지식쇼핑에서 검색이 가장 많이 요청된 키워드 100개에 대한 정보를 광고주에게 제공해 주고 있다. 전년 동월에 가장 많이 검색한 키워드와 전월에 가장 많이 검색한 키워드를 확인해야 한다.

지식쇼핑에서 많이 검색된 키워드는 해당 쇼핑몰에서도 검색이 많이 될 가능성이 높으므로 쇼핑몰 검색 페이지 관리에 꼭 필요한 정보이다.

그러면 관리해야 할 키워드 검색 페이지 매장을 3가지로 구분해서 관리 포인트를 선택적으로 할 수 있다. 그림에서 ❶은 지식쇼핑 인기 키워드이면서 쇼핑몰 인기 키워드 영역에 있는 키워드 매장이다. 집중적으로 관리해야 하는 키워드 검색 페이지 매장이기 때문에 상품 담당자와 마케팅 담당자에게 업무를 챙기게 해야 한다. 또한 검색을 통해 상품 페이지까지 도달했는지를 알 수 있는 검색성공율 지표를 관리해야 한다.

관리해야 할 키워드 매장의 우선순위

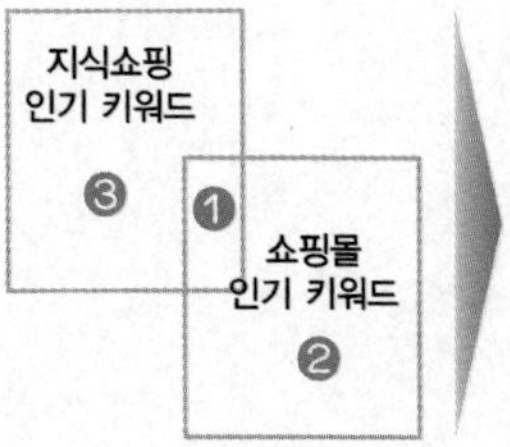

지식쇼핑 인기 키워드
❸
❶
쇼핑몰 인기 키워드
❷

관리 방향	성격별 관리 포인트
❶ 집중 관리	• 검색 결과 페이지를 관리하는 담당자를 정함 • 검색성공율 지표를 관리함
❷ 전진 배치	• 메인 페이지에 전진배치하여 상품이 잘 보이게 함
❸ 구색 보강	• 쇼핑몰 상품 담당자에게 상품 구색을 보강하게 함

❷는 쇼핑몰로 직접 방문한 고객들이 해당 쇼핑몰에만 가지고 있는 상품을 검색하는 키워드이다. 검색 결과 페이지 관리도 중요하지만 메인 페이지에 코너를 마련하는 등 전진 배치하여 상품이 잘 보이게 관리해야 한다.

❸은 지식쇼핑에서는 인기 키워드이지만 해당 쇼핑몰에서는 찾지 않는 키워드이다. 이는 해당 쇼핑몰의 상품력이 약해서 발생할 수 있는 경우 이므로, 상품 담당자에게 고객이 유출되는 경쟁몰 조사 등을 통해 상품 구색을 보강하게 해야 한다.

03

검색 결과 2페이지까지 집중관리 하라

쇼핑몰에서 키워드 검색 결과 페이지는 많게는 수백 페이지를 넘어가는 상품도 많이 있다. 특히 대표 키워드로 고객들이 검색한 결과 페이지는 10페이지 이상되는 경우가 대부분이다.

이런 상황에서 고객들이 클릭하는 행동은 앞에 있는 1페이지에 집중되고, 2~3페이지를 넘어가면 클릭율이 급격히 감소 한다. 페이지 이동에 시간이 소요되기 때문에 고객들은 단 1~2페이지에서 상품 정보 수집욕구를 충족시킨다.

검색 결과 페이지별 클릭율

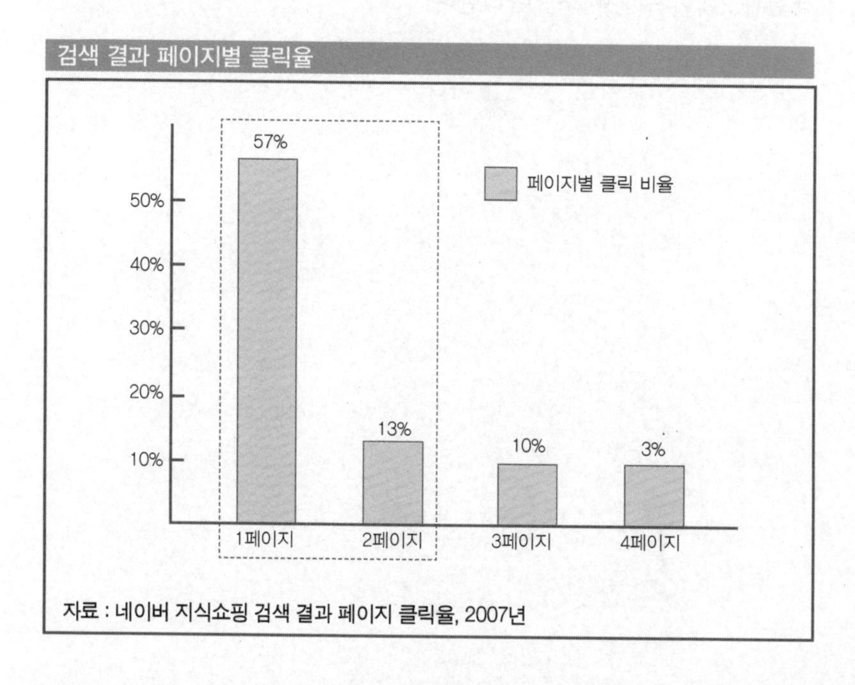

자료 : 네이버 지식쇼핑 검색 결과 페이지 클릭율, 2007년

네이버 지식쇼핑 검색 페이지별 클릭율을 보면, 1페이지 클릭율이 57% 를 점유하며, 2페이지까지 하면 클릭율이 70% 이다.

이러한 고객들의 클릭행동을 이했을 때, 검색결과 페이지 관리 범위는 두가지로 요약할 수 있다. 첫째, 검색결과 1페이지의 리스팅 상품 수를 늘리고, 1페이지만 집중 관리한다. 오픈마켓 키워드 광고 상품이 1 페이지에만 리스팅 되는 것도 이러한 맥락에서 이해할 수 있다. 또한, 1페이지에 리스팅되는 상품 조건을 최적화하여 고객에게 가치를 제공할 수 있는 상품이 제시되어야 한다. 예를 들어, 판매수량이 리스팅 조건이 될 경우, 저가의 상품, 기획상품 등이 리스팅되면 쇼핑몰의 이미지와 매출에 부정적인 영향을 줄 수 있다. 둘째, 여력이 있다면 검색결과 2페이지까지 집중 관리한다.

04

통합 검색 페이지에서 전략과제를 실행하라

고객이 검색 키워드를 통해 얻고자 하는 정보는 상품 뿐만 아니라 구매에 필요한 다양한 정보를 얻고 싶어한다. 상품 사용법에 대한 정보, 상품을 이용해본 다른 고객들의 평가, 코디할 수 있는 추천 상품 등 다양한 정보가 필요하다.

쇼핑을 하려고 하는 고객들이 직접 쇼핑몰에 오지 않고 포탈에서 먼저 키워드 검색을 하는 행동도 이런 정보에 대한 니즈를 해결하기 위함이다. 포탈에서는 키워드 검색결과에 따라 광고 쇼핑몰, 지식인, 블로그, 카페, 뉴스 등 다양한 정보를 통합검색하여 제공하고 있다.

따라서 쇼핑몰에서는 키워드 검색 결과에 대해 상품만 제공하는 것에서 나아가 다양한 관련 상품, 컨텐츠를 제공하는 통합검색 페이지를 제공해야 한다. 이러한 정보 제공능력을 지속적으로 축적함으로서 쇼핑몰이 포탈에 대한 방문자 의존도를 줄여 나갈 수 있다.

A쇼핑몰의 경우, 키워드 통합검색 결과가 대박가게, 파워등록 상품, 전체 상품 리스트, 상품 BEST 5, 외부광고 스폰서 링크가 나온다.

통합 검색 결과에 상품평 정보 등 구매 결정에 도움이 되는 정보의 부족함을 느끼고 다른 쇼핑몰로 유출될 가능성이 높다.

통합 검색 결과 주요 색인 리스트 비교

A 쇼핑몰	G마켓	G마켓 매장 특징
• 대박 가게	❶ 플러스 등록상품	• 키워드 경매에 낙찰된 8개 상품
• 파워 등록 상품	❷ 전체 상품	• 프리미엄 등록된 일반 상품
• 전체 상품 리스트	❸ 단골찬스	• 직접방문한 신용점수 20점 이상인 고객만 구매할 수 있는 상품
• 상품 BEST 5	❹ C2마켓/컨텐츠	• 영화 또는 동영상 컨텐츠 상품
• 외부광고 스폰서 링크	❺ 이벤트&기획전	• 키워드 관련 이벤트 및 기획전 매장
	❻ 웹진/상품평	• 쇼핑 블로그, 상품평 등 고객들이 만들어가는 쇼핑 컨텐츠
	❼ 플러스샵	• 키워드 관련 판매자의 미니샵이 노출되는 매장
	❽ 외부광고 스폰서 링크	• 오버추어 광고 링크 사이트

반면 G마켓의 경우, 키워드 통합 검색 결과에 플러스 등록상품, 전체상품, 단골찬스, C2마켓/컨텐츠, 이벤트 & 기획전, 웹진/상품평, 플러스샵 등 보유하고 있는 다양한 정보를 보여 주고 있다. 고객은 쇼핑 전에 궁금한 내용을 확인할 수 있고, 관련되는 상품을 다양하게 살펴볼 수 있는 등 구매 결정에 필요한 정보를 제공하여 고객의 유출을 최소화 하고 있다. 또한 G마켓은 직접방문한 단골고객을 우대해 주는 단

골찬스 매장을 검색 결과로 제공하고 있다.

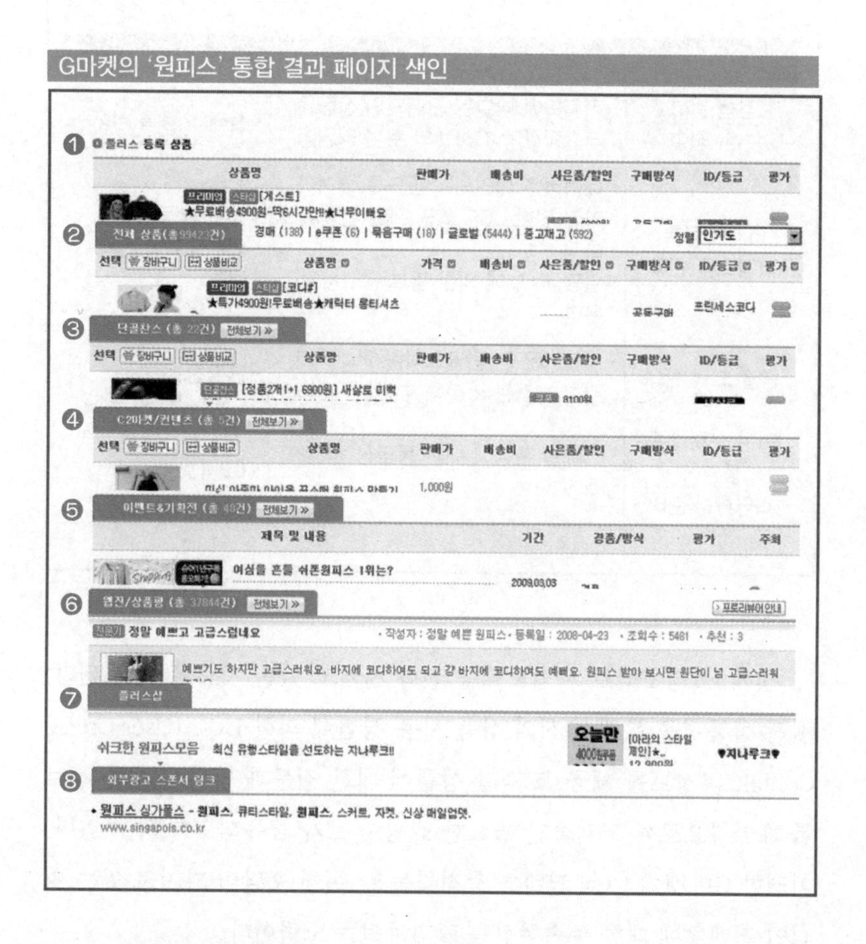

G마켓의 '원피스' 통합 결과 페이지 색인

G마켓의 통합검색 결과 페이지를 통해 G마켓이 추구 하고자 하는 전략을 몇 가지로 정리해 보았다.

G마켓의 통합 검색 결과 페이지 운영 전략

전략 방향	주요 내용	관련 색인
검색 광고 수익 창출	• 키워드에 낙찰된 판매자의 상품을 리스팅하며, G마켓의 주 수익원임	• 플러스 등록 상품
쇼핑포탈로 사업모델 진화	• 네이버 지식인의 의존도를 줄여나가기 위한 UCC 쇼핑 관련 컨텐츠 축적 • 일평균 UV에 의한 링크 광고사업 운영	• 웹진/상품평 • 외부광고 스폰서 링크
단골 고객 확대	• 직접방문 및 단골고객을 확대하기 위한 고객관리 정책 추진	• 단골찬스
IPTV 신채널 등 동영상 쇼핑환경 준비	• 신채널 환경에 대한 동영상 컨텐츠 축적	• C2마켓/컨텐츠

첫째, 쇼핑포탈로 사업모델을 진화 시키고 있는 것으로 판단 된다. 웹진/상품평을 통해 고객의 상품 사용 경험에 의한 UCC (User Create Contents) 정보를 제공, 고객간 상품에 대한 질문과 답변에 대한 정보를 제공함으로써 고객들간 필요한 쇼핑 정보가 공유되도록 하고 있다. 이러한 G마켓의 UCC 컨텐츠 축적활동은 현재 포탈이 가지고 있는 지식인 컨텐츠에 대한 종속현상을 탈피하려는 노력이다.

G마켓의 '원피스' 통합 결과 페이지 중 웹진/상품평

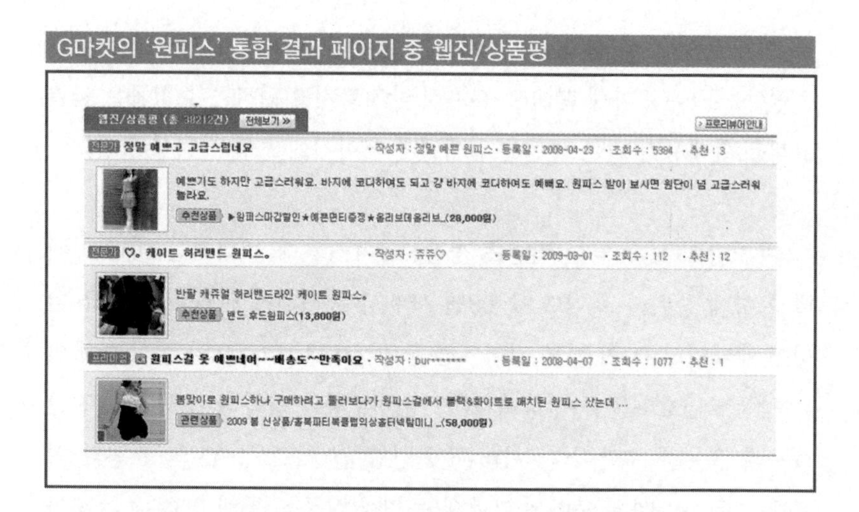

둘째, 단골찬스 매장을 검색 결과 페이지에 노출함으로써 단골고객 확대에 집중하고 있다. 경쟁이 치열한 쇼핑몰 산업에서 쇼핑몰은 기존 고객 지키기에 높은 관심을 가져야 한다. G마켓은 검색 페이지 마다 단골찬스 매장을 고객에게 알려줌으로써 G마켓의 직접방문과 단골 고객 비중을 확대하고 있다.

G마켓의 '원피스' 통합 결과 페이지 중 단골찬스

단골찬스 (총 22건) 전체보기 »

선택 장바구니 상품비교	상품명	판매가	배송비	사은품/할인	구매방식	ID/등급	평가
□	[단골상품]★2000원쿠폰★원피스30종! /벨트 리본/배색/정장/벌룬/미니/탑/홀터넥/셔링/봄신상/미니원피스 +간략보기	14,800원	착불(선결제)	쿠폰 2000원 사은품 묶음 할인찬스	공동구매 (새상품)	노란결 파워딜러 서비스 우수	
□	[단골찬스]2000원쿠폰!원피스30여종/리본/배색/벌룬/단추/지퍼/홀터넥/셔링/롤후드/미니원피스/단체복 +간략보기	14,800원	착불(선결제)	쿠폰 2000원 사은품 묶음 할인찬스	공동구매 (새상품)	노란결 파워딜러 서비스 우수	
□	[단골찬스][지시크릿]*주말무료배송*2종set.알파벳 나염 상하의set OPS +간략보기	29,800원	무료		공동구매 (새상품)	초이스 이즈	

현재 통합 검색 결과 페이지에 단골고객을 확대하기 위한 색인을 리스팅하는 곳은 G마켓 뿐이다. G마켓 앞지르기를 원하는 쇼핑몰은 단골고객을 확대하기 위한 색인을 검색결과 페이지에 포함 시켜야 한다.

마지막으로, 동영상 컨텐츠 상품으로 IPTV 등 변화하는 미디어 채널 환경에 준비하고 있다. 2008년부터 상용 서비스에 들어간 신규 미디어 채널인 IPTV의 기본 컨텐츠는 동영상이다. 텍스트나 이미지에 의한 상품설명보다는 동영상에 의한 상품설명이 상품의 소구점을 전달하는데 유용한 수단이다. 이러한 동영상 컨텐츠는 IPTV의 쇼핑과 연계될 경우 G마켓은 준비된 다량의 동영상 상품을 통해 IPTV내 쇼핑의 선두자리를 차지하기 쉬울 것이다.

G마켓의 '원피스' 통합 결과 페이지 중 C2마켓/컨텐츠

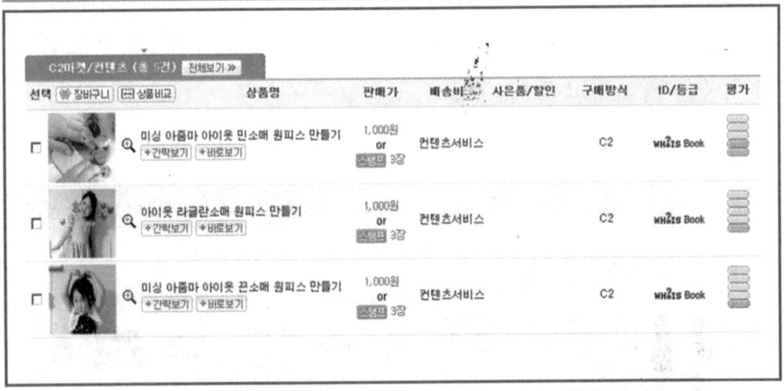

C2마켓/컨텐츠 (총 5건) 전체보기 »

선택 장바구니 상품비교	상품명	판매가	배송비	사은품/할인	구매방식	ID/등급	평가
	미싱 아줌마 아이옷 민소매 원피스 만들기 +간략보기 +바로보기	1,000원 or 스탬프 3장	컨텐츠서비스		C2	WH2IS Book	
	아이옷 라글란소매 원피스 만들기 +간략보기 +바로보기	1,000원 or 스탬프 3장	컨텐츠서비스		C2	WH2IS Book	
	미싱 아줌마 아이옷 끈소매 원피스 만들기 +간략보기 +바로보기	1,000원 or 스탬프 3장	컨텐츠서비스		C2	WH2IS Book	

05 검색이 잘 되는 상품명을 만들어라

필자의 블로그에 쇼핑몰 마케팅에 대한 글이 있는데, 그 중에서 가장 많은 클릭수를 보이는 것이 상품명에 대한 글이다. 쇼핑몰에 종사하시는 분들이 고민을 많이 하는 것이 상품명 만들기라는 것을 알 수 있다.

고객에게 상품을 잘 팔려면, 고객이 검색하는 키워드와 상품명이 정확히 일치해야 한다. 쇼핑몰 운영자도 검색에 의한 매출을 높이기 위해서는 검색이 잘 되는 상품명 만들기에 조직 내부 자원을 우선적으로 투입해야 한다.

상품명이 검색 품질에 미치는 영역

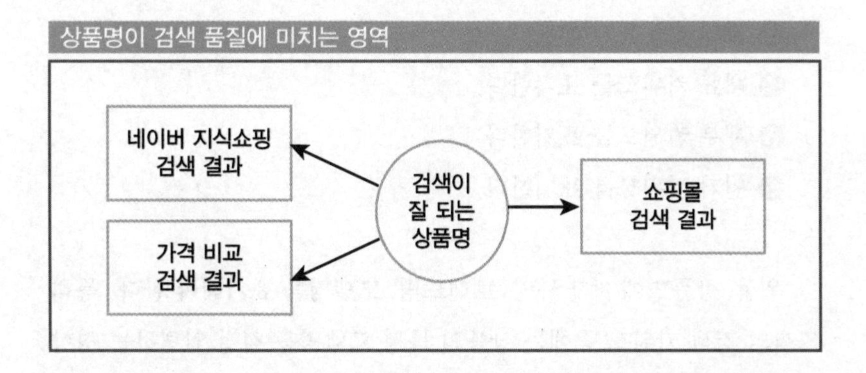

상품명이 검색 품질에 미치는 영역은 크게 2가지로 구분해서 이해할 수 있다. 첫째, 네이버, 가격비교 등 게이트 웨이 사이트에서 관리하는 상품 DB의 매칭율에 영향을 준다. 쇼핑몰 상품 DB에 있는 상품명이 정확하지 않으면 게이트 웨이 사이트의 상품 DB와 불일치하게 된다. 이렇게 될 경우 네이버 지식쇼핑, 가격비교에서 고객이 상품을 검색할 때 해당 쇼핑몰의 상품 노출이 안되어 판매 기회를 놓치게 된다.

둘째, 쇼핑몰에 직접 방문한 고객들이 검색하는 결과 페이지의 품질을 결정한다. 최근에는 상품설명을 html 텍스트로 작성하기 보다는 이미지 파일로 만들어서 등록한다. 따라서 상품 검색시 상품명에 있는 키워드가 가장 중요한 검색 대상 영역이다

검색이 잘되는 상품명을 만들려면 6가지 요령을 적용해야 한다.

❶ 제조사명을 표기한다.
❷ 브랜드 명을 표기한다.
❸ 모델명을 표기한다.
❹ 대표 키워드를 표기한다.
❺ 세부 키워드를 표기한다.
❻ 인기 키워드를 표기한다.

우선, 상품명에 제조사명, 브랜드명, 모델명을 표기해야 한다. 특히 고객의 검색 키워드 중에는 상품의 특정 모델명을 직접 입력하는 경향이 많다. 따라서 MP3의 경우 '삼성전자 YEPP YP-U3Q' 와 같이 제조사, 브랜드 및 모델명을 표기하는 것이 중요하다.

상품명에 제조사, 브랜드, 모델명을 표기한 사례

실제크기

삼성전자 YEPP YP-U3Q 2G 새창보기

약15시간재생, USB2.0, WMA/OGG지원, OLED, 내장배터리, 라디오지원, 다국어지원, 가사지원, 터치버튼, DNSe 3D음장 | 출시일 : 2007-05

▸상품평 : 5,993건 | ▸전문가리뷰 : 11건

또한 고객들이 검색시 사용하는 대표 키워드, 세부 키워드를 상품명에 표기해야 한다. 예를 들면, 여성의류의 원피스 상품의 경우 상품명에 대표 키워드 '원피스', 세부 키워드 '쉬폰 원피스' 와 같이 표기를 해야 한다. 이러한 키워드는 대분류나 중분류 매장 명칭, 소분류 매장 명칭을 상품명에 표기하는 것과 같은 맥락으로 이해하면 된다.

상품명에 대표 키워드, 세부 키워드를 표기한 사례

쉬폰원피스,의류,여성의류,원피스,악녀일기,가방 여성구두

| 출시일 : 2008-12

그리고 상품을 검색할 때 상품명 이외에 시즌적 이슈로 상품을 검색할 경우가 있다. 이런 경우 검색 결과에서 리스팅 될 수 있도록 시즌 인기 키워드를 상품명에 반영해야 한다. 예를 들면, '졸업/입학선물', '화이트데이' 등 시즌성 키워드를 표기하는 것이 필요하다.

06

클릭하고 싶은 상품 리스팅을 만들어라

키워드 검색에 의해 관련 상품이 리스팅 된다. 리스팅 첫 페이지에 나타나는 수십개의 상품 중에서 고객의 클릭을 유발시키기 위해서는 상품 리스팅시 제공되는 4가지 정보 요소가 경쟁력이 있어야 한다.

B종합몰의 경우, 상품 클릭을 결정 짓는 상품 리스팅의 4가지 요소는 ❶ 상품 이미지, ❷ 상품명, ❸ 가격, ❹ 상품평으로 구성되어 진다.

상품 클릭을 결정 짓는 상품 리스팅의 4가지 요소

❶ 이미지	❷ 상품명	❸ 가격	❹ 상품평
	상품명	판매가격/포인트/무이자	고객만족도
	[니콘] D80 KIT(18-135) +SD2GB +정품가방 +크리너SET +포켓용 +인화권 +ML-L3(무선리모콘) 새창보기	~~1,235,000원~~ → 1,135,000원 10 (113,500원x10개월)	★★★★★ 상품평 293건
	[니콘] D80 KIT+니콘 정품가방+후지야마 UV필터+크리너SET+포켓용+인화권 새창보기	~~1,215,000원~~ → 1,115,000원 10 (111,500원x10개월)	★★★★★ 상품평 43건

❶ 상품 이미지는 리스팅 페이지에서 가장 먼저 고객의 시선을 잡는 부분이다. 고객의 시선을 잡을 수 있도록 선명하고 예쁜 이미지, 예쁜 모델 이미지, 상품의 장점을 부각한 부분 강조 이미지 등이 클릭율

을 높일 수 있다.

❷ 상품명에는 상품의 신뢰와 정확도에 대한 정보를 제공하는 제조사, 브랜드, 모델 번호 등 상품 기본 명칭에 관련된 내용이 표기 되어야 한다. 또한 사은품, 경품, 시간 한정 세일, 선착순 등 판촉 관련 내용이 표기되어야 클릭율을 높일 수 있다.

상품 클릭을 높이기 위한 방법

구분	주요 내용
❶ 이미지	• 선명하고 예쁜 이미지 • 예쁜 모델로 시선 잡기 • 장점을 부각한 부분 강조 이미지
❷ 상품명	• 제조사, 브랜드, 모델 번호 등 상품 기본 명칭에 관련된 내용 • 사은품, 경품, 시간 한정 세일, 선착순 마감 등 판촉 관련된 내용
❸ 가격	• 할인가격, 할인쿠폰, 무이자 할부, 적립금 등 저렴한 가격에 관련된 내용
❹ 상품평	• 많은 상품평 • 장점 및 단점이 구분되는 상품평 • 사용 이미지가 있는 상품평

상품 클릭을 높이기 위한 이미지 노출 방법

아름다운 모델로 시선을 끌어준다.

Blooming (dress)

상품의 특징을 부각시키는 이미지로 배치한다.

컬러추가심플&편해~ 시원한 마 혼용 7...

분위기 있는 한장의 사진이 매력있다

[무료배송쿠폰]H 잡업

효과적인 배치와 연출로 모든 상품을 한곳에 집중

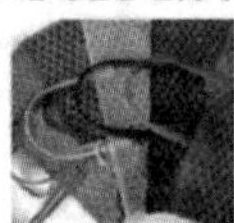

G생루이백-미듐(3차재입고)-입금순

모두를 보여줄 수 없다면 포인트가 되는 일부를 강조하라

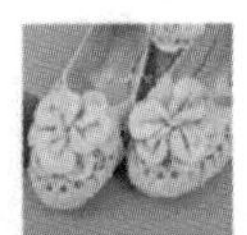

달콤 시베트

유명모델컷을 활용할 수 있다면 금상첨화

no.587 조르디라반다 일러스트 원피스...

자료 : 네이버 자료실, 2008년

상품 클릭이 낮은 이미지 사례

도대체 이중에서 무엇을 판다는 것일까?

주문 많아요!! Isabel Marant ops ♪ ...

희미하게 흐려진 이미지는 아무도 클릭하지 않는다.

[지시크릿]08 F/W 가을신상/루이...

어두운 상품은 시선을 끌지 못한다.

배송지연☆망고☆

배경색과 비슷하여 상품이 부각되지 않는다.

헬로키티 리본 도트세트~ 공주님선물!

무채색보다는 밝은 색의 상품을 배치한다.

1위 멜빵 바지 (업마랑~)

복잡한 상품에 장식을 넣어 혼란스럽지 않게 한다.

아스카 매화무늬 단추 ◎원피스 주문폭...

모든 것을 보여주려는 욕심을 버려라. 하나만 강조한다

★HIT 손목시계 모음★넉스 세이...

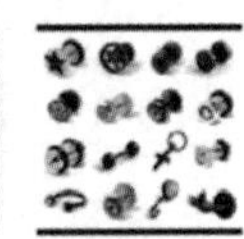

[G단독빅팽권송귀걸이] 1.2 mm 공...

자료 : 네이버 자료실, 2008년

③ 쇼핑시 가장 많이 고려하는 것이 가격이다. 고객에게 최대한 가격 할인에 대한 만족감을 줄 수 있도록 정보가 제공되어야 한다. 할인 가격, 할인 쿠폰과 같은 직접적 가격할인 정보가 가장 구매에 영향을 많이 준다. 또한 10만원이상 고가격대 상품은 무이자 할부가 구매에 영향을 많이 준다. 그리고 적립금 등 경제적 혜택을 제공하는 정보도 구매에 영향을 준다.

④ 인터넷 쇼핑 특성 상 기존 구매자들이 상품을 사용해보고 느낀 상품평이 많이 있어야 한다. 상품평이 많이 달린 상품일수록 판매수량이 많기 때문이다. 또한 상품의 장단점이 구분되어 있는 상품평이나, 고객이 사용하는 모습을 보여주는 이미지가 있는 상품평은 클릭율을 더 높일 수 있다.

제 8 부

상품 페이지에서 지갑 열게 만들어라

포인트

- 상품 페이지에서 지갑을 열게 만들어야 한다. 상품 페이지에서 제공되어야 하는 가격, 배송, 상품설명, 상품평, 하자해결법 5가지 정보를 이해한다.
- G마켓은 고객이 나중에라도 지갑을 열게 만들고, 다른 사람의 지갑까지 열게 만드는 마케팅 방법을 확인한다.

제 8 부 상품 페이지에서 지갑 열게 만들어라

01 5가지 정보로 구매결정 하게 하라

02 판매가를 최저가부터 시작되게 하라

03 관련상품 옵션으로 구매할 수 있게 하라

04 나중에라도 구매할 수 있게 하라

05 다른 사람이 사줄 수 있게 하라

06 경험에 의한 정보를 제공하라

01

5가지 정보로 구매결정 하게 하라

쇼핑몰에 방문한 고객의 최종 구매 결정은 상품 페이지에서 일어난다. 고객이 구매에 대한 의사결정을 하기 위해 상품 페이지에서 충분한 정보를 제공해야 한다. 상품 페이지에서 제공해야 하는 정보는 5가지로 유형화 할 수 있다.

구매 결정에 영향을 주는 상품 페이지의 5가지 정보

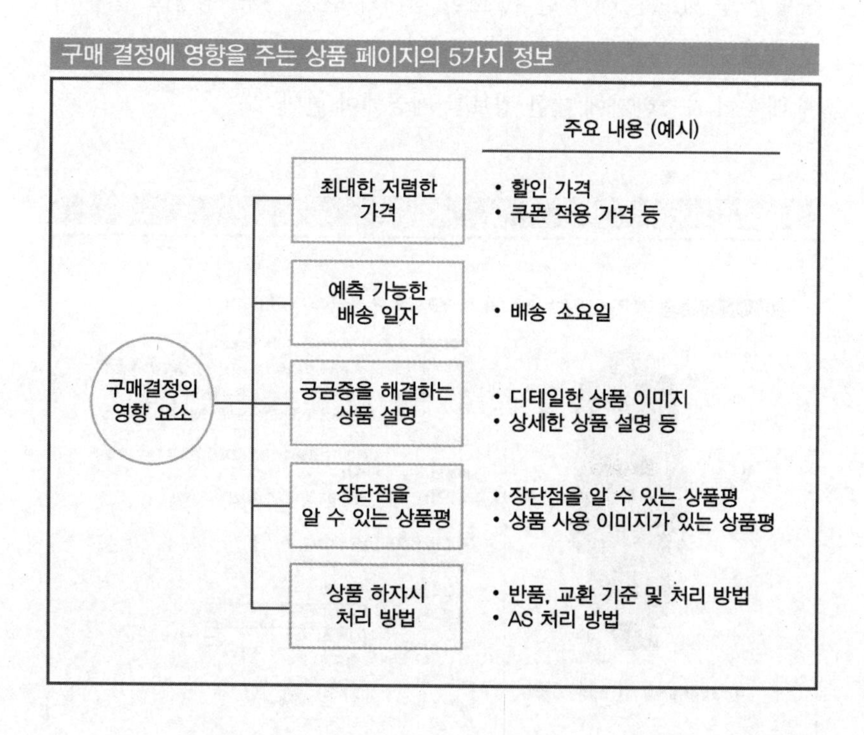

첫째, 최대한 저렴한 가격으로 구매할 수 있도록 해야 한다. 할인 가격, 할인쿠폰, 마일리지 등 고객이 사용할 수 있는 다양한 결제수단으로 쇼핑 비용을 줄일 수 있는 정보를 제공해야 한다. 또한 카드사의 무이자 할부 등 카드이용에 대한 혜택 정보를 제공해야 한다.

둘째, 예측 가능한 배송 일자 정보를 제공해야 한다. 구매를 한 고객이 가장 많은 문의를 하는 것이 배송일에 대한 정보이다. 해당 상품의 평균 배송 소요일을 알려 줌으로써 고객이 상품을 사용할 계획을 수립할 수 있도록 해야 한다. 또한 침대와 같은 가구, 냉장고 같은 대형 생활 가전 상품 등 설치가 필요한 상품의 경우 고객이 원하는 날짜에 배송이 가능한가에 대한 정보를 제공해야 한다.

배송 소요일에 안내 정보

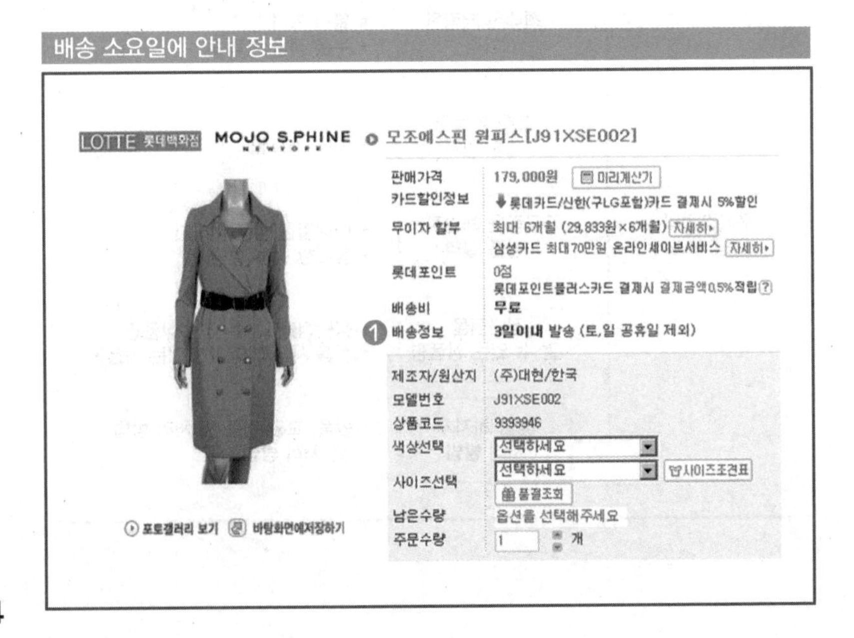

그림 ❶ 처럼 배송정보를 제공하면, 고객은 월요일 주문하면 주말에 입을 수 있겠다는 사용계획을 수립할 수 있다. 배송정보가 제공되지 않을 경우 고객은 전화로 문의하거나, 다른 쇼핑채널로 갈 수 있다.

쇼핑몰별 배송 정보를 안내하는 방법은 다양하다. 고객 입장에서 판단했을 때, 옥션의 배송정보 제공방법이 유용하다. 평균 배송 소요일과 3일내 배송된 건수의 비율을 보면 구매결정에 도움이 된다.

쇼핑몰별 배송 소요일 안내 방법

구 분	배송 정보 안내 방법
롯데닷컴	최대 배송소요일 안내(5일 이내 발송)
GS이숍	평균 배송 소요일 안내(평균 2.2일 배송)
옥션	평균 배송 소요일 및 3일 이내 배송율 (평균 2.0일/3일 내 배송:256건(95%))
G마켓	상품설명 페이지에 판매자가 자체 표기

셋째, 궁금증을 해결할 수 있는 상세한 상품설명이 제공되어야 한다. 시각적으로는 디테일한 상품 이미지 정보가 제공되어야 한다. TPO (Time, Place, Occasion) 별 상품을 어떻게 사용하는지에 대한 이미지는 훌륭한 정보가 될 것이다. 또한 상품이 가지고 있는 FAB (Feature, Advantage, Benefit) 정보를 제공하여 다른 상품보다 비교 우위인 내용을 제공해야 한다.

상품사용에 대한 사용모습을 이미지로 보여주는 것이 구매를 망설이는 고객에게 설득력을 더 높일 수 있다. 쇼핑몰 운영자는 상품 이미지가 있는 상품평이 활성화 될 수 있는 마케팅 활동을 하는 것이 필요하다. 특히 고마진군에 속하는 패션상품의 경우 착용모습을 상품평으로 등록하게 하는 이벤트는 쇼핑몰의 수익 확대에도 도움이 된다.

넷째, 상품의 장단점을 알 수 있는 상품평을 제공해야 한다. 일률적으로 칭찬만하는 상품평은 오히려 고객들이 신뢰를 하지 않는다. 상품에 대한 장점 상품평, 불만 상품평을 구분하여 정보를 제공하는 것도 필요하다.

실제 고객 조사결과를 보면, 상품 페이지에서 구매결정을 할 때 41.2%가 상품평가 내용에 영향을 받고 있다.

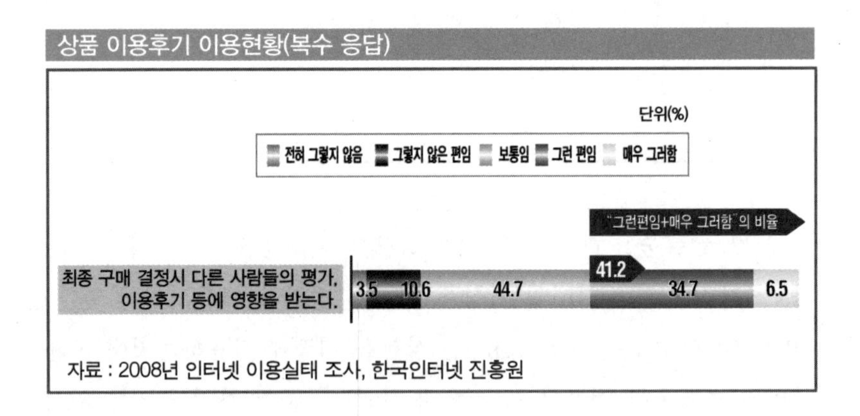

마지막으로, 상품 하자시 해결 방법에 대한 정보를 제공해야 한다. 인터넷 쇼핑시 고객들이 가장 걱정하는 것이 기대했던 이미지와 다

른 상품이 왔을 경우 쉽게 반품, 교환할 수 있느냐 이다. 따라서 상품 페이지에 반품, 교환에 대한 절차와 택배비 부담에 대한 기준을 명확히 제공해야 한다. 상품이 사용중 하자가 발생했을 경우 AS 처리에 대한 절차도 명확히 제공해야 한다. 상품 하자 해결에 대해 고객에게 믿음을 줄 수 있는 정책을 운영해야 쇼핑몰은 신뢰성을 바탕으로 성장할 수 있다. 오픈마켓 11번가가 2008년 9월에 도입한 '위조품 110% 보상제'가 신뢰성을 높일 수 있는 정책 중 하나이다. 이 정책은 고객이 구매한 상품이 위조품일 경우 결제 금액을 전액 환불해주고 추가로 결제금액 10%를 11번가 포인트로 지급한다는 것이다. 이 정책 도입을 통해 11번가는 명품 거래량이 매월 45%씩 늘었다고 설명하고 있다.

02

판매가를 최저가부터 시작되게 하라

인터넷 쇼핑몰에서 표시가격을 옵션에 따라 다양하게 운영할 수 있는 것은 중요한 역량이다. 설명의 편의상 B쇼핑몰과 G마켓의 니콘 D80 카메라의 상품 페이지를 가지고 살펴보자.

❶ 판매가는 최저가부터 시작될 수 있게 하라. G마켓에서는 니콘 D80 본체 판매가격을 설정해 두고, 렌즈, 삼각대 등 다양한 구성품을 고객이 선택하여 구매할 수 있는 패키지 선택 구매를 운영하고 있다. 이렇게 옵션 구매를 할 수 있다면 낮은 판매 가격을 제시할 수 있어서, 네이버 지식쇼핑의 가격비교, 에누리 등 가격비교에서 최저가로 노출된다. 자연스럽게 고객에게 많이 노출되고 클릭을 많이 유발 시킬 수 있다. 장기적으로 보면 고객들은 가장 저렴하게 판매하는 곳이 G마켓이다라는 쇼핑몰의 브랜드 이미지를 형성하게 된다.

네이버 지식쇼핑 '니콘 D80' 가격비교 결과 페이지 : 패키지 선택구매로 최저가로 노출됨

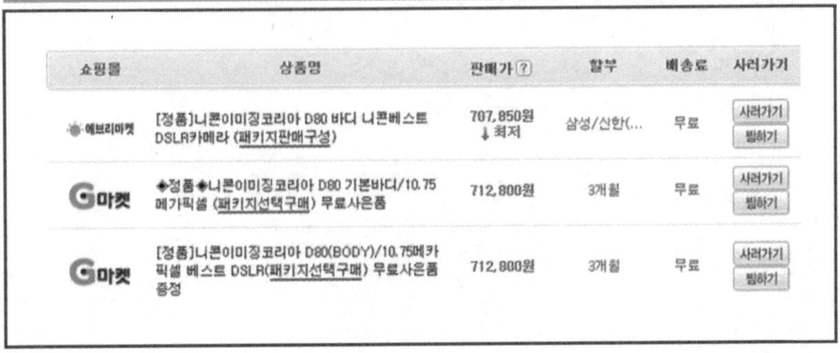

쇼핑몰	상품명	판매가	할부	배송료	사러가기
에브리마켓	[정품]니콘이미징코리아 D80 바디 니콘베스트 DSLR카메라 (패키지판매구성)	707,850원 ↓최저	삼성/신한(...	무료	사러가기 찜하기
G마켓	◆정품◆니콘이미징코리아 D80 기본바디/10.75 메가픽셀 (패키지선택구매) 무료사은품	712,800원	3개월	무료	사러가기 찜하기
G마켓	[정품]니콘이미징코리아 D80(BODY)/10.75메카픽셀 베스트 DSLR(패키지선택구매) 무료사은품 증정	712,800원	3개월	무료	사러가기 찜하기

또한 할인쿠폰에 의한 추가할인, 옵션 상품을 복수로 구매할 경우 복수구매할인 등 다양하게 할인 받을 수 있는 정보를 제시하고 있다.

❷ G스탬프, 사은품 등 추가적 혜택을 제공하여, 저렴한 쇼핑을 할 수 있게 하라. ❸ 제휴된 신용카드로 결제시 추가적인 할인혜택을 받을 수 있다는 정보를 제공하여, 최대한 할인 받을 수 있는 방법을 제시하라.

B 종합몰의 상품 페이지

G마켓의 상품 페이지

G마켓은 옵션 구매 기능을 통해 표시가격을 최저가로 운영하고, G마켓 자체의 사이버 화폐 및 제휴사의 마일리지 등을 구매시 활용할 수 있게 하여, 쇼핑 가격만족도 측면에서 고객에게 최저가 이미지를 구축하고 있다.

03

관련상품 옵션으로 구매할 수 있게 하라

❹ 필요시 옵션으로 관련 용품을 구매할 수 있는 정보를 제공함으로써 추가 매출을 올려라. 고객은 필요시 니콘렌즈, 시그마렌즈, 대가방 등 다양한 선택 상품을 필요한 것만 선택적으로 구매할 수 있다.

G마켓 '니콘 D80'의 옵션 구매 가격 운영

[니콘] ◆지마켓 특별이벤트◆[렌즈두개+4GB줄력] [니콘코리아정품] 니콘D80(18~55VR+55-200)+4GB+호환배터리

· 판매가 1,259,000원
· 추가할인 45,000원 할인
· G스탬프 1장 G스탬프 이벤트보기
· 사은품 니콘D80+18-55VR+55-200+4G...
· 제조사/원산지 니콘이미징코리아/상세설명참고
· 배송방식 일반 택배
· 배송비 무료 묶음
· 신용카드혜택 세이브/무이자 배송비쿠폰 매월 5장
· 주문수량 1 개
해외배송시 체크

❹
· 1.니콘렌즈 선택하세요.
· 2.시그마렌즈 선택하세요.
· 대가방 선택하세요.
· 렌즈파우치 선택하세요.
· 렌즈후드(1) 선택하세요.
· 렌즈후드(2) 선택하세요.
· 리더기 선택하세요.
· 리모콘 선택하세요.
· 메모리추가 선택하세요.
· 배터리 선택하세요.
· 세로그립 선택하세요.
· 접사삼각대 선택하세요.
· 줌백 선택하세요.
· 포켓용 선택하세요.
· 플래쉬 선택하세요.
· 핸드스트랩 선택하세요.
· DSLR삼각대 선택하세요.
· LCD커버 선택하세요.
· UV필터(1) 선택하세요.
· UV필터(2) 선택하세요.

확대보기 함께 쇼핑하기
상품비교 관심상품 등록 바탕화면저장 신고

G마켓은 옵션 가격 기능을 통해 고객에게 연관 상품을 제안하고, 고객은 예산에 맞는 범위내에서 구매를 할 수 있다.

'니콘 D80'의 옵션 구매 가능 상품의 예

04

나중에라도 구매할 수 있게 하라

⑤ 바탕화면 저장하기를 통해 나중에라도 구매할 수 있게 하라. 좀 더 쇼핑에 대해 고민한 다음에도 해당상품으로 직접 방문할 수 있는 기능을 제공하여, 매출에 대한 로스를 최소화 해야 한다.

G마켓 '바탕화면 저장하기' 기능

[니콘] ◆지마켓 특별이벤트◆[렌즈두개+4GB풀팩] [니콘코리아정품] 니콘D80(18~55VR+55-200) +4GB+호환배터리

· 판매가 1,259,000원
· 추가할인 45,000원 할인
· G스탬프 1장 G스탬프 이벤트보기
· 사은품 니콘D80+18-55VR+55-200+4G...
· 제조사/원산지 니콘이미징코리아/상세설명참고
· 배송방식 일반 택배
· 배송비 무료 묶음
· 신용카드혜택 세이브/무이자 배송비쿠폰 매월 5장
· 주문수량 1 개
해외배송시 체크
· 1.니콘렌즈 선택하세요.
· 2.시그마렌즈 선택하세요.
· 대가방 선택하세요.
· 렌즈파우치 선택하세요.

확대보기 | 함께 쇼핑하기
상품비교 | 관심상품 등록 | ⑤바탕화면저장 | 신고

○바탕화면에 저장하기
[바로가기 아이콘 이름] 직접 입력
1,259,000원 ◆지마켓 특별이벤트◆ [렌즈두개+4GB풀팩] [니콘... [G마
저장

실제 바탕화면에 관심상품 아이콘이 있으면 잊어버렸다가도 컴퓨터 화면을 볼 때 다시 구매해 대한 생각이 떠오른다. G마켓은 이러한 고객의 컴퓨터 이동 동선을 세밀하게 관찰하여, 마케팅으로 활용하고 있다.

05

다른 사람이 사줄 수 있게 하라

⑥ 함께 쇼핑하기를 통해 다른 사람에게 상품을 구매해 달라고 요청할 수 있게 하라. 메신저가 연결되어 있으면 더욱 편리하게 상품 구매를 요청할 수 있지만, 그렇지 않을 경우 메일 기능을 통해 다른 사람에게 상품을 소개하거나 구매해 달라고 요청 할 수도 있다.

G마켓 '함께 쇼핑하기' 이메일로 상품 추천하기 기능

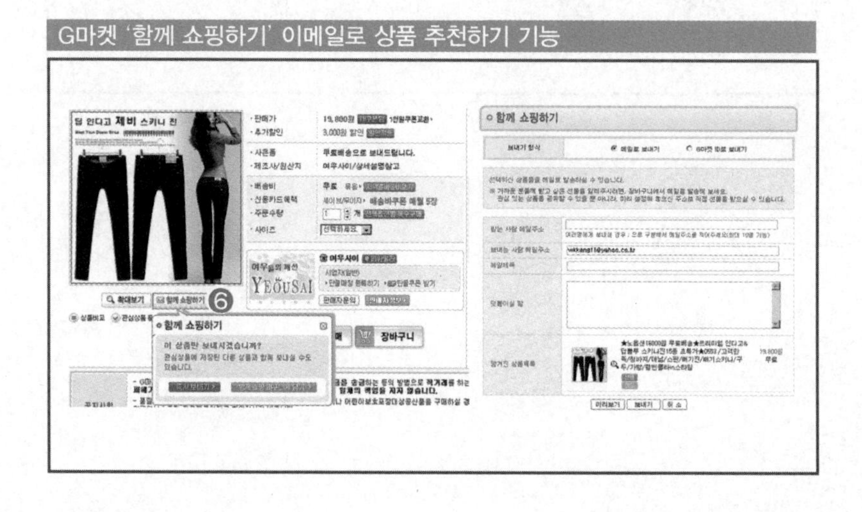

예를 들어, 딸이 엄마에게 멋진 스키니 진 청바지를 사달라고 할 경우, 함께 쇼핑하기 기능을 사용하여 메일을 보낼 수 있다. 또는 아빠에게 카메라를 사달라고 할 경우에도, 함께 쇼핑하기 기능을 통해 메일을 보낼 수 있다.

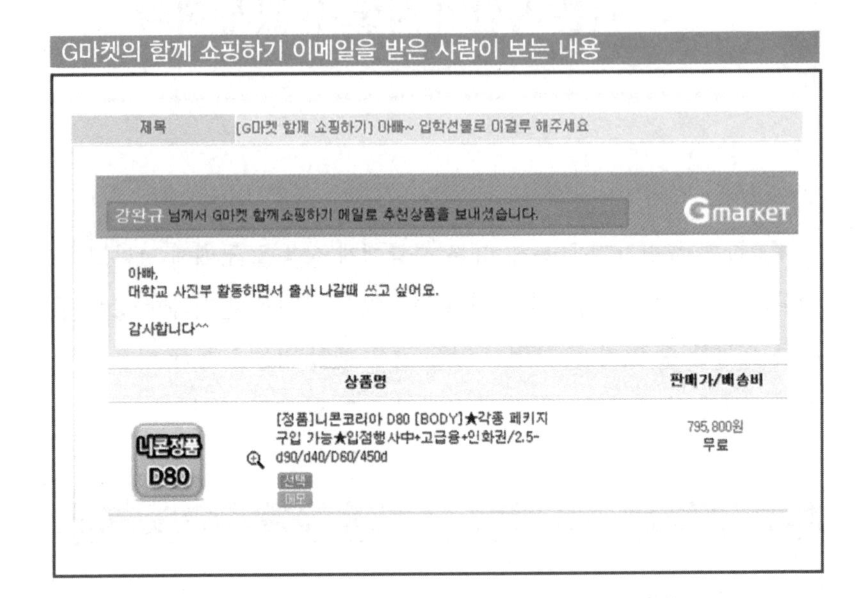
G마켓의 함께 쇼핑하기 이메일을 받은 사람이 보는 내용
제목
[G마켓 함께 쇼핑하기] 아빠~ 입학선물로 이걸루 해주세요
강완규 님께서 G마켓 함께쇼핑하기 메일로 추천상품을 보내셨습니다.
Gmarket
아빠,
대학교 사진부 활동하면서 출사 나갈때 쓰고 싶어요.
감사합니다^^
상품명
판매가/배송비
니콘정품
D80
[정품]니콘코리아 D80 [BODY]★각종 페키지
구입 가능★입점행사中+고급용+인화권/2.5-
d90/d40/D60/450d
선택
메모
795,800원
무료

06

경험에 의한 정보를 제공하라

네이버 인터넷 마케팅 담당자에 의하면 고객을 설득시키는 상품 설명 중 가장 효과적인 것이 사용 경험에 의한 체험 내용이라고 한다. TPO 에 따라 직접 사용해본 경험을 제공하는 것이 설득력이 높다고 한다. 예를 들어, 상품이 약간 크게 나왔을 경우, 판매자의 신체 사이즈가 44이라면 약간 크게 나왔다는 정보를 제공해야 한다. "제가 입어보니, 44입으시는 분들한테는 넉넉할 것 같구요, 55입으시는 분들한테는 딱 맞을 것 같아요, 참고해서 구매하세요". 또는 캐쥬얼 정장이라 가벼운 모임에서 입고 있는 모습을 보여 주는 것도 도움이 된다.

동영상으로 상품의 사용이나 기능적 특징을 설명하는 것도 효과적인 정보제공 수단이다. 동영상으로 상품 설명을 할 경우 3분이내로 짧게 핵심을 전달 할 수 있도록 제작되야 한다. 동영상 설명시간이 3분이상으로 길 경우, 고객들이 지루함을 느끼게 된다.

친근한 구어체에 유머를 가미하라. 마치 백화점의 샵 마스터가 고객에게 상품제안을 하는 것처럼 구어체로 상품의 FAB를 제공하는 것도 설득력이 높다. 예를 들어, 뱃살을 커버 해준다든지, 가슴을 볼륨업 시켜 준다든지 등 상품의 기능적 장점을 부각시키는 것이 구매 결정에 도움이 된다.

제 9 부
고객이 원하는 서비스에 집중하라

포인트

- 고객의 요청이 많은 결제 · 배송 · 반품 3대 서비스를 이해한다.
- G마켓이 판매자간 경쟁, 고객에 의한 판매자 평가, 우수 판매자에 대한 인센티브를 제공하는 운영시스템을 통해 서비스 향상하는 방법을 확인한다.
- 고객이 쇼핑시 부담하는 비용은 현금 외에도 쇼핑시간, 배송 기다림, 품질 불안감, 반품 불안감 5가지가 포함됨을 이해한다.

제 9 부 고객이 원하는 서비스에 집중하라

01 10원이라도 아낄 수 있도록 결제수단을 준비하라

그 동안 쌓아둔 포인트, 선물로 받은 문화상품권, 할인쿠폰, 신용카드 포인트, 제휴 신용 카드의 할인 등 현금 외 다양한 결제 수단을 통해 고객이 최소한의 비용으로 결제할 수 있도록 해야 한다.

인터넷 쇼핑에서 구매를 하는 고객들은 사이버 화폐를 결제 수단으로 사용하는데 익숙하다. 오프라인과는 달리 인터넷 쇼핑몰 이용 고객은 포인트 10원까지도 알뜰히 챙겨서 구매한다. 심지어 할인쿠폰이 생길 때까지 쇼핑을 미루기도 한다.

B 종합몰의 경우 결제수단이 신용카드와 현금이 있다.

B 종합몰의 결제 수단

결제수단 선택

신용카드 결제

롯데(AMEX카드) ISP안전결제/안심클릭 외 카드 결제불가

현금 결제

인터넷뱅킹/무통장입금 은행선택

실시간 계좌 이체

반면, G마켓의 경우 ❶ 현금 입금의 경우, G마켓 고객들이 기존에 보유하고 있는 현금잔고를 관리하는 G통장, 휴대폰 소액결제 등 다양한 수단을 사용할 수 있다. ❷ 신용카드의 경우에도 포인트를 쓸 수 있는 카드를 안내해 줌으로서 저렴하게 구매할 수 있도록 하고 있다.

G 마켓의 결제 수단

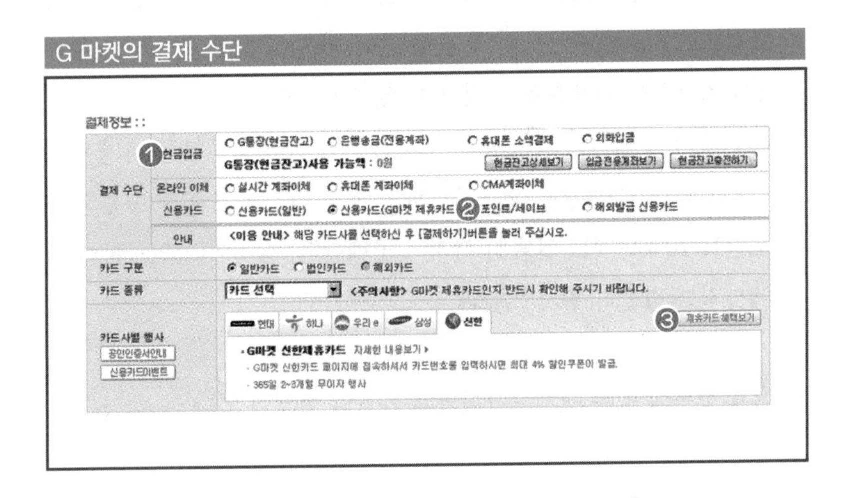

또한 ❸ G마켓의 제휴카드에 대해 할인쿠폰을 제공하여 저렴하게 구매할 수 있도록 하고 있다.

여기서 G마켓을 앞지르기 위해서 문화상품권, 도서상품권 등 오프라인에 유통되는 상품권을 결제수단으로 확보하는 것을 생각해볼 수 있다.

02 몰의 속도가 광고 수입보다 더 중요하다

인터넷 쇼핑시 몰의 로딩 속도는 사이트의 신뢰, 쇼핑시 네비게이션의 만족감 등 쇼핑 경험에 영향을 주는 중요 요소이다. 랭키닷컴에 의하면 로딩 속도가 네이버가 2초대, G마켓이 4초대로 보통 2~5초 사이가 된다.

팝업 창으로 속도 품질 저하 현상

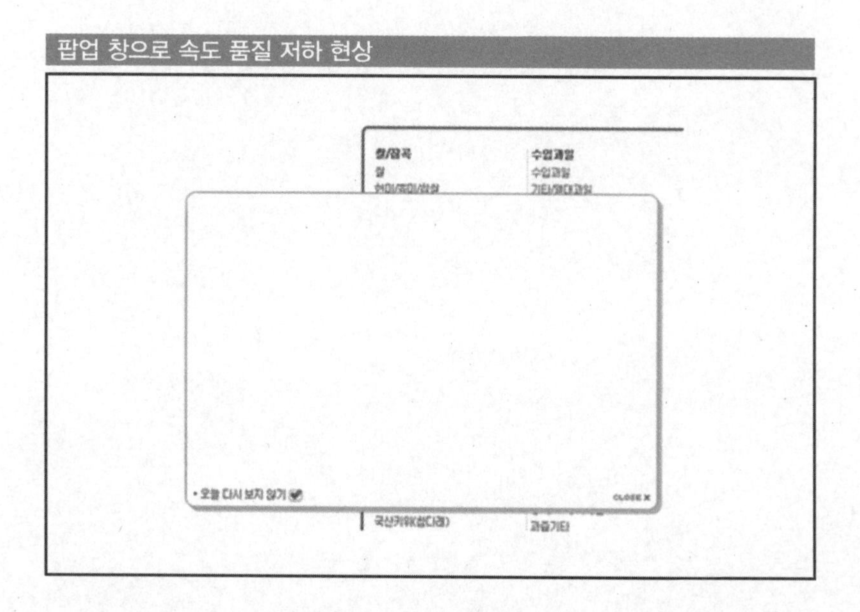

그림의 경우 처럼 팝업창의 이미지 로딩이 늦어 짐으로써 쇼핑몰 전체 로딩이 늦다는 이미지를 심어 줄 우려가 있다.

몰 속도는 쇼핑 만족도에 큰 영향을 주기 때문에, 로딩 속도 품질을 저하시킬 수 있는 요인은 제거해 주어야 한다. 팝업창을 뛰울때는 전체고객에게 알려야 하는 긴급 내용외에는 최대한 자제해야 한다. 단기간의 매출이나 광고 수익 때문에 몰의 속도 품질을 저하시킨다면, 다수의 고객에게 불만감만 높여줄 뿐이다.

03

고객의 요청이 많은 3대 서비스를 챙겨라

쇼핑몰 이용 서비스 중에서 고객의 서비스 요청이 많은 것이 결제, 배송 및 반품에 관련된 서비스이다. 첫째, 결제에 관련된 서비스는 고객의 현금 예산 계획과 연결되어 있기 때문에 상황이 변할 때마다 즉시 알려 주어야 한다. 상품 대금이 입금완료가 잘 되었는지, 카드 취소가 잘 처리 되었는지 등 처리결과에 대한 내용을 SMS 문자로 즉시 알려 주는 것이 서비스 품질을 높이는 것이다.

고객의 요청이 많은 3대 서비스

주요 요청 서비스	주요 요청 내용
결제 서비스	• [무통장 입금] 입금이 제대로 되었나요? • [무통장 환불] 환불은 언제 되나요? • [카드 결제] 카드 취소가 잘 되었나요?
배송 서비스	• 언제쯤 오나요? • 왜 늦게 오나요? • 선물로 보낸 것이 잘 도착했나요?
반품 서비스	• 언제 수거하러 오나요?

둘째, 구매 후 고객의 문의가 가장 많은 것이 배송 서비스 관련된 것이다. 언제쯤 배송이 되는지에 대해 상품 구매단계에서 고객들에게 상품 페이지에서 배송예정일 정보를 알려주는 것이 서비스 품질을 높

이는 방법이다. 만약, 배송예정일을 못 지킬 경우, 즉시 구매하신 고객들에게 양해를 구해야 한다. 이때 재고를 확보하여 배송할 수 있을 경우에는 배송가능 일자를 다시 알려줘서 참고 기다릴 수 있게 한다. 만약 재고 확보가 불가능하여 배송할 수 없을 경우에는 즉시 상황을 설명드리고, 다른 상품을 구매할 수 있도록 해야 한다. 그렇지 않고 무작정 고객을 기다리게 할 경우 악성 크레임으로 악화되어 수습하는데 상당한 어려움과 비용이 들어 간다.

쇼핑몰에서는 상품 구매자가 주문시 다른 사람에게 선물로 배송을 많이 한다. 이럴 경우 선물을 보내는 사람은 상대방이 상품을 잘 받았는지가 궁금해서 확인 전화를 많이 하게 된다. 이런 경우, 선물 배송이 완료되었을 경우, 구매자에게 선물이 잘 배송되었다는 문자서비스를 제공하여 배송 서비스 품질을 높일 수 있다. 선물 배송 완료 후, "홍길동님께 보내신 갈비세트가 배송완료 되었습니다" 라는 문자를 구매자에게 보내주는 것이다.

셋째, 고객이 상품을 받아보고 기대했던 것과 다를 경우 고객은 반품을 요청한다. 반품 요청한 고객은 반품 수거가 빨리 진행되어서 결제한 금액을 빨리 환불 받기를 기대한다. 반품수거가 지연될 경우 고객은 상품을 집에 계속 보관해야 하는 번거러움과 언제 택배사가 올 것인가에 대한 기다림과 빨리 환불처리가 되지 않아 현금 계획에 차질이 생기는 상황에 매우 불편해 한다.

G마켓의 경우, 대한통운을 반품 수거 전담 택배사로 선정하여 고객이 요청하면 즉시 반품을 수거할 수 있도록 하고 있다. 반품 서비스

품질을 높이기 위해 판매자에게 반품 업무를 맡기기 보다는 쇼핑몰 차원에서 수거 전담 택배사를 운영하는 것이 바람직하다. ❶ 반품 택배비를 결제하는 방법도 환불예정금액에서 차감하는 방법, 상품에 동봉하는 방법, 판매자에게 따로 결제하는 방법을 고객이 편리하게 선택할 수 있도록 하고 있다.

G마켓의 반품 서비스 진행 화면

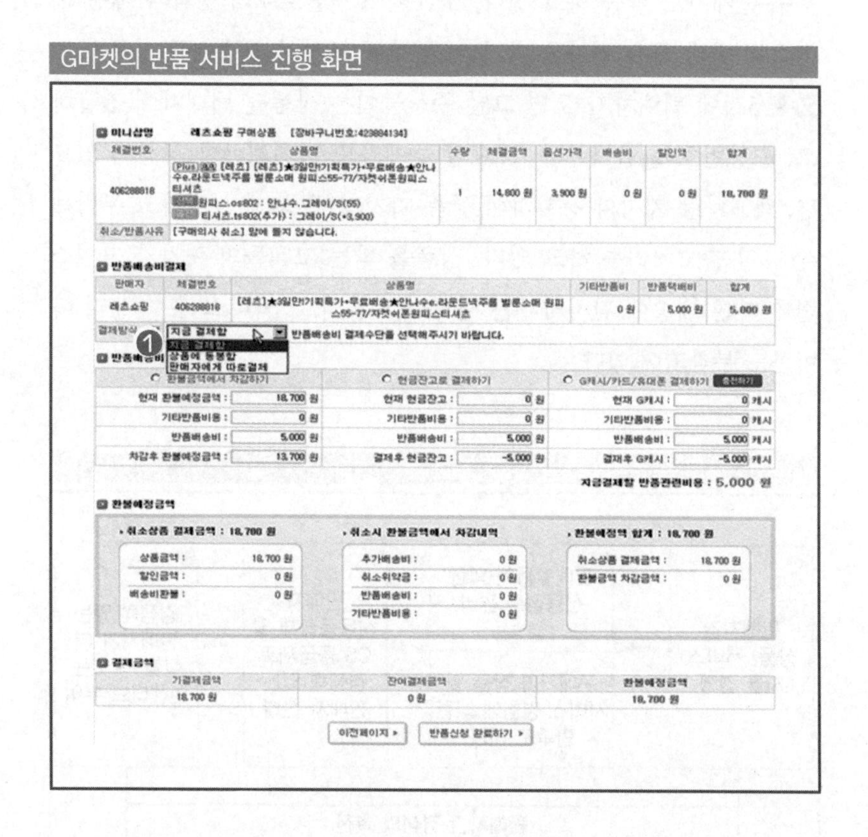

04 서비스 품질이 올라갈 수 있는 시스템을 운영하라

이웃 분 중에서 오픈마켓에서 판매자를 하시는 분이 있다. 서비스 우수 판매자로 활동 하고 있다. 구매한 고객들로부터 상품과 배송 서비스에 대해 좋은 평가를 받기 위해 상품 포장시 완충재를 사용하고, 오후 5시에 택배차가 오면 그날 주문들어온 상품을 택배차에 전달하고, 송장번호를 입력한다. 토요일 늦게라도 택배해야할 상품이 있으면, 택배차량 기사와 통화하여 상품 가지러 좀 늦게 와달라고 부탁해서 당일 출고처리를 하고 있다. 상품을 받는 고객들의 평가가 자연스럽게 빠른 배송에 감사하다는 결과로 보답되고, 서비스 우수 셀러 아이콘도 부착되어 있다.

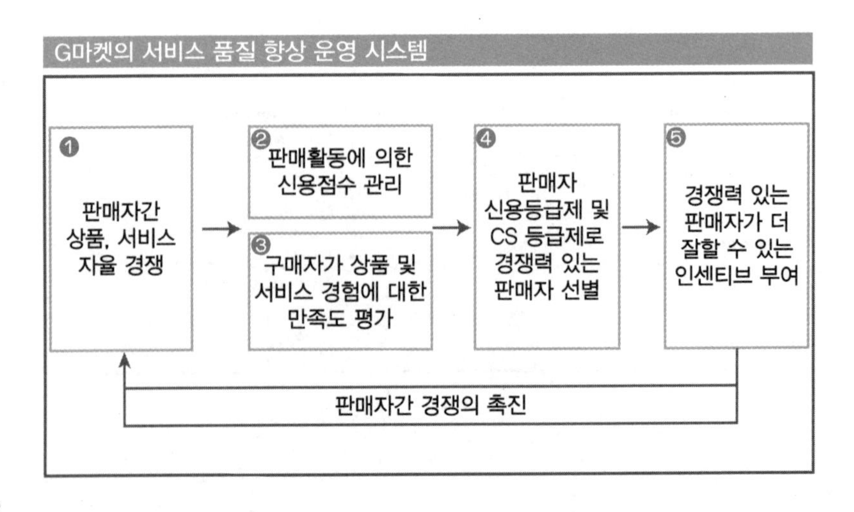

G마켓은 판매자가 스스로 서비스 품질을 챙길 수 있도록 운영시스템을 가동하고 있다.

앞의 그림에서 보면 ❶ 수많은 판매자간에 상품 및 서비스 품질에 대해 자율경쟁을 촉진하는 것이 운영의 기본 철학이다. 롯데닷컴과 같은 종합몰이 한개의 상품에 한 개의 가격 정책인 반면, 오픈 마켓은 한 개의 상품에 다수의 판매자가 가격 경쟁하는 정책으로 운영된다.

❷ 판매활동에 의해 신용점수를 관리한다. 정상적 거래가 완료되면 + 1점이 되지만 배송지연, 배송 불이행, 하자로 인한 교환 및 반품 시에는 -2 ~ -4 점이 부과된다. 따라서 판매자는 양질의 상품이 빨리 배송될 수 있도록 챙길 수 밖에 없다.

G마켓의 판매자 신용점수 부여 방법

평가 기준	신용 점수
거래 완료	+1
배송지연	−2 (4~7일 지연) −3 (8일 이상 지연)
배송 불이행	−4
(하자) 교환	−4
(하자) 반품	−4

❸ 구매자가 판매자의 상품 및 서비스에 대한 만족도를 평가하고, 그 결과는 공개된다. 상품을 구매한 고객은 상품, 가격, 배송, 서비스에 대한 요소별 만족도를 평가하고, 전반적인 만족여부도 평가한다. 또한 상품 및 서비스에 대한 느낌에 대해 상품평으로 표현할 수 있다. 이러한 정성적인 만족도 평가와 소감이 구매 경험이 없는 다른 고객들의 구매 결정에 영향을 주게 된다.

G마켓의 구매자가 판매자에 대한 만족도를 평가하는 방법

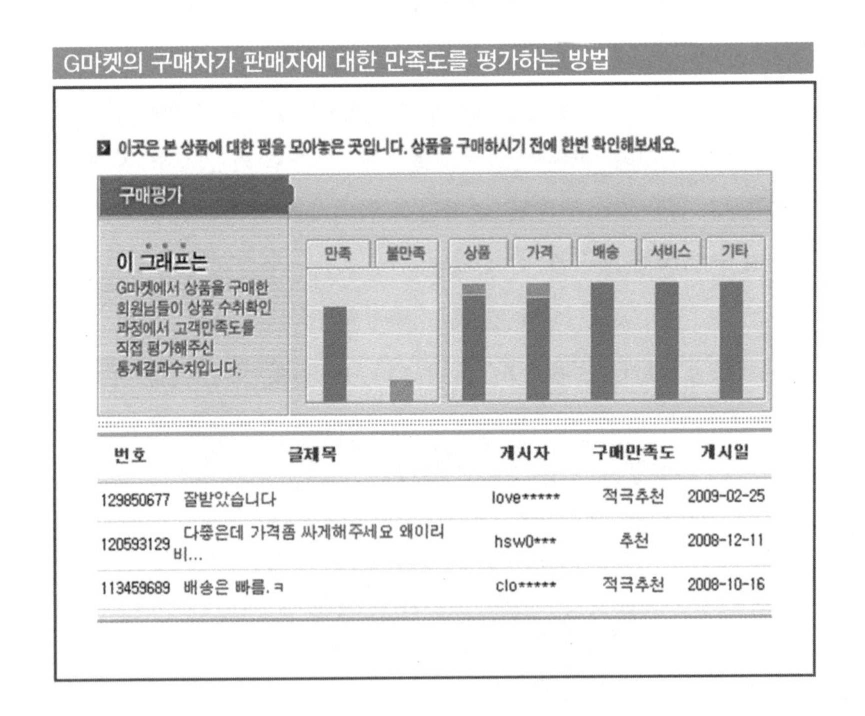

번호	글제목	게시자	구매만족도	게시일
129850677	잘받았습니다	love*****	적극추천	2009-02-25
120593129	다좋은데 가격좀 싸게해주세요 왜이리 비...	hsw0***	추천	2008-12-11
113459689	배송은 빠름. ㅋ	clo*****	적극추천	2008-10-16

❹ 신용등급제와 CS 등급제로 경쟁력 있는 판매자를 선별한다. 판매자의 신용등급은 신용점수와 구매자 만족도에 의해 파워딜러, 우수딜러, 일반딜러, 불량의 4개 등급으로 된다. 신용등급에 따라 대금 정

산 주기가 차별적으로 적용되며, 파워딜러의 경우 검색 페이지 우선 노출되는 혜택을 준다.

G마켓의 판매자 신용등급 및 등급별 혜택 내용

신용등급 적용기준 및 혜택

- 고객님의 등급과 점수는 기본정보>>판매자정보관리>>e딜러기본정보에서 확인가능합니다.
- 등급은 신용점수의 합계를 기준으로 매월 3 영업일에 적용됩니다.
(영업일은 공휴일, 토, 일을 제외한 일로 계산하게 됩니다.)

» 판매자 등급산정조건

등급	누적 신용점수	최근1개월 신용점수	구매자만족도
파워딜러	400점이상	10점이상	50%이상
우수딜러	200점이상	5점이상	40%이상
일반딜러	-5점이상, 200점 미만		
불량	-5점미만	-30점이하	10%이하

» 판매자 등급별 혜택

등급	정산주기	기타혜택	아이콘
파워딜러	배송완료후 + 7일	기타조건동일시 검색및정렬우선전시	파워딜러
우수딜러	배송완료후 + 10일		우수딜러
일반딜러	배송완료후 + 15일		없음
불량	배송완료후 + 30일		없음

또한 G마켓은 CS 등급제를 통해 판매자의 배송 및 반품 서비스 품질을 집중관리하고 있다. CS 등급은 서비스 우수, 일반, 서비스 주의의 3개 등급으로 분류된다. CS 등급 산정 기준은 배송서비스 점수, 1차 지연 배송율, 반품율, 반품처리 지연율 항목으로 평가된다.

G마켓의 판매자 CS 등급 운영 내용

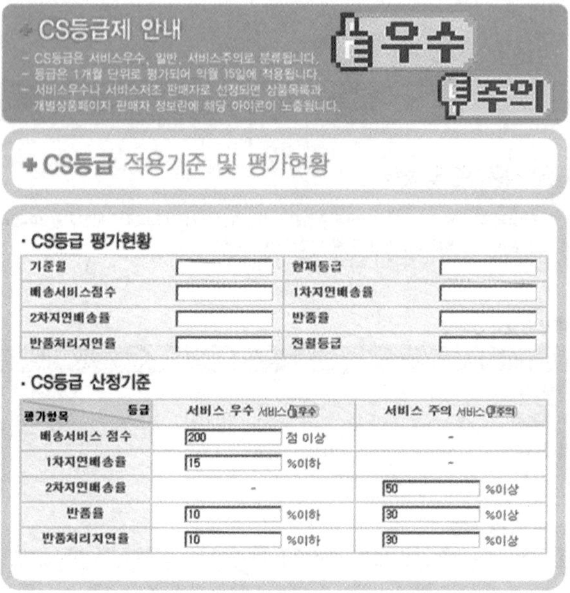

CS등급제 안내

- CS등급은 서비스우수, 일반, 서비스주의로 분류됩니다.
- 등급은 1개월 단위로 평가되어 익월 15일에 적용됩니다.
- 서비스우수나 서비스저조 판매자로 선정되면 상품목록과 개별상품페이지 판매자 정보란에 해당 아이콘이 노출됩니다.

우수

주의

CS등급 적용기준 및 평가현황

· CS등급 평가현황

기준월		현재등급	
배송서비스점수		1차지연배송률	
2차지연배송률		반품률	
반품처리지연율		전월등급	

· CS등급 산정기준

평가항목 \ 등급	서비스 우수 서비스우수	서비스 주의 서비스주의
배송서비스 점수	200 점 이상	-
1차지연배송률	15 %이하	-
2차지연배송률	-	50 %이상
반품률	10 %이하	30 %이상
반품처리지연율	10 %이하	30 %이상

⑤ 경쟁력 있는 판매자가 더 잘할 수 있는 인센티브를 부여한다. 신용등급과 CS 등급을 판매자의 상품 페이지에 노출함으로서 고객들이 서비스가 우수한 판매자에게 더 많이 구매할 수 있도록 운영하고 있다. 또한 정산 주기 단축, 검색시 우선적 노출 등 다양한 혜택을 부여하여 서비스 품질이 높은 판매자가 더 많은 고객에게 좋은 서비스를 할 수 있는 선순환 루프를 만들고 있다. 경쟁력 있는 판매자에게는 가게의 브랜드 인지도, 파워딜러 등 무형의 권리 자산을 키울 수 있는 기회를 제공한다. G마켓의 파워딜러가 된다는 것은 판매자가 종사하는 업계에서 본인의 명성을 높이는데 도움이 된다.

05

배송 진행에 대한 정보를 계속 제공하라

배송에 관련된 정보는 배송 진행 단계에 변화가 있을 때 마다 고객에게 알려주는 것이 좋다. 고객에게 전달되는 그 순간까지 고객은 계속 기다리고 있기 때문이다. 배송 지연은 주문 취소로 연결될 수 있고, 고객을 경쟁사에 빼앗길 수도 있다.

G마켓 및 택배사의 배송 정보제공 서비스

배송 진행 단계	제공 수단	제공 내용	제공 주체
❶ 결제 직후	SMS	[G마켓] 10000원 결제완료. 판매자에 배송을 요청합니다.	G마켓
	메일	홍길동님, 2월 23일 주문이 잘 접수 되었습니다.	G마켓
❷ 출고 직후	SMS	[G마켓] 포인트 박스 상품 1개가 우체국 택배 12345678901로 발송 되었습니다.	G마켓
	메일	홍길동님, 주문하신 상품이 2월 23일에 발송 되었습니다.	G마켓
❸ 배송 당일	SMS	고객님 택배 12345678901를 오늘 배달예정 입니다. 우체국 김철수	택배사
❹ 배송 완료 후	SMS	우체국택배입니다. 경비실에 맞겨놨으니 찾아가세요.	택배사

G마켓에서 구매를 하면, 결제 직후부터 배송 진행에 대한 정보를 메일과 SMS로 제공하고 있다. ❶ G마켓이 결제 직후 "판매자에게 배송을 요청합니다" 문자를 고객에게 제공한다. 이는 이제부터 배송 업무가 진행되니, 주문 취소를 하지말아 달라는 G마켓의 마케팅 의도도 숨어 있다.

❷ 상품이 택배사로 이동되고 송장번호가 생성되는 출고 시점에 다시 고객에게 문자를 제공하고 있다. 이 문자를 받으면 고객은 1~2일 이내에 상품을 받을 수 있겠구나라고 생각한다.

❸, ❹의 문자 제공은 우체국 택배에서 보내는 것인데, 보내지 않는 택배사도 있다. 따라서 판매자가 택배사를 선정할 경우, 택배비와 택배사의 배송 품질을 복합적으로 파악하여 고객에게 더 좋은 서비스를 제공하는 택배사를 선정하는 것이 필요하다.

06

결품으로 인한 취소를 잡아라

고객들이 심하게 클레임을 제기하는 불만 요소가 결제를 하고 상품을 기다리고 있는데, 재고가 없어서 구매 취소를 요구 받을 때다. 이러한 결품 취소 현상은 1개의 판매자가 복수의 쇼핑몰과 동시에 거래를 하기 때문이다. 통상 한 판매자는 7~10개 정도의 쇼핑몰과 거래를 한다. 오픈마켓 3군데, 종합몰 5군데, 전문몰 2군데 대략 이 정도의 분포로 복수 거래를 하고 있다.

판매자가 의류 등 패션과 같은 시즌 상품을 취급할 경우, 재고는 1개가 있고, 주문은 3군데 쇼핑몰에서 왔다면 2군데 쇼핑몰에서는 결품 취소를 해야 하는 상황이 발생한다.

쇼핑몰 입장에서는 2가지 운영 능력을 발휘하여, 해당 쇼핑몰에서 결품으로 인한 주문 취소가 적게 발생되도록 해야 한다. 첫째, 상품 등록에서 몰에 노출되기까지 소요시간을 최소한으로 단축한다. 먼저 노출되는 곳에서 먼저 구매가 일어날 가능성이 높기 때문에 최대한 빨리 상품 노출이 되도록 상품등록 시스템, 노출 의사결정 단계에 대한 경쟁력을 키워야 한다. 둘째, 상품 공급자의 몰입도를 높일 수 있는 상품 공급자 관리제도를 운영해야 한다. 예를 들어, 재고가 1개이고 여러 쇼핑몰에서 주문이 들어 올 경우, 상품 공급업자는 판매신용 등급에 가장 영향을 많이 받는 쇼핑몰의 주문을 처리할 것이다. 따라서 쇼핑몰은 상품 공급자가 가장 우선적으로 고려할 수 있는 쇼핑몰이 되도록 판매자 관리 정책을 운영해야 한다.

07

고객의 5가지 쇼핑비용을 줄여 서비스 품질을 높여라

고객에게 제공하는 서비스 품질을 지속적으로 향상 시키기 위해서는 고객이 쇼핑을 통해 얻고자 하는 쇼핑 가치 함수를 이해해야 한다.

그림처럼 쇼핑 가치 함수는 고객이 쇼핑에서 얻을 수 있는 가치가 쇼핑시 부담하는 5가지 비용보다 커야 한다. 그래야 지속적으로 고객을 획득하고 고객을 유지할 수 있게 된다. 즉, 고객이 쇼핑시 부담하는 5가지 비용을 최소화 하여 서비스 품질을 높여 나가야 한다.

고객의 쇼핑가치 함수

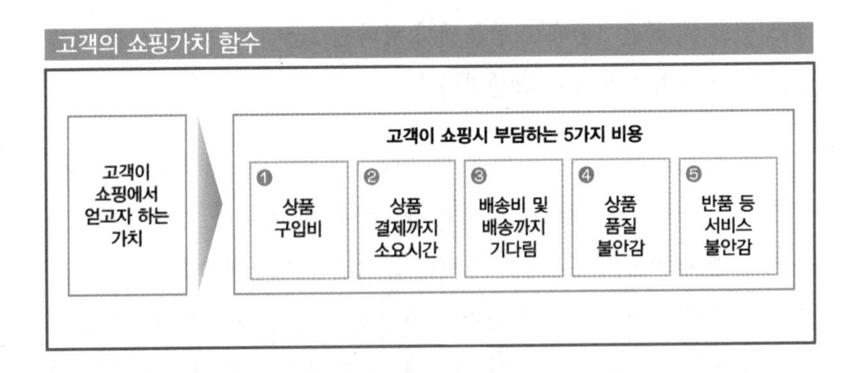

고객이 쇼핑시 부담하는 비용은 ❶ 상품 구입비 뿐만 아니라 ❷ 상품을 찾고 결제할 때 까지 소요되는 쇼핑 시간, ❸ 배송비 및 배송될 때까지 기다리는 비용, ❹ 배송된 상품의 품질에 대한 불안감, ❺ 반품 등 배송후 서비스 처리에 대한 불안감을 포함한다.

여기서 쇼핑몰은 서비스 수준을 향상시키기 위해서 고객이 부담하는 비용이 상품 구매비용 만이 아니라는 인식을 가지는 것이 중요하다. 고객이 부담하는 비용은 쇼핑 시간, 기다림, 불안감 등 무형의 비용까지 포함되어 있다. 이러한 인식을 구성원들이 명확히 가지고 있을 때 고객 입장에서 서비스 품질도 개선될 수 있다.

인터넷 쇼핑시 불편 사항 (복수 응답)

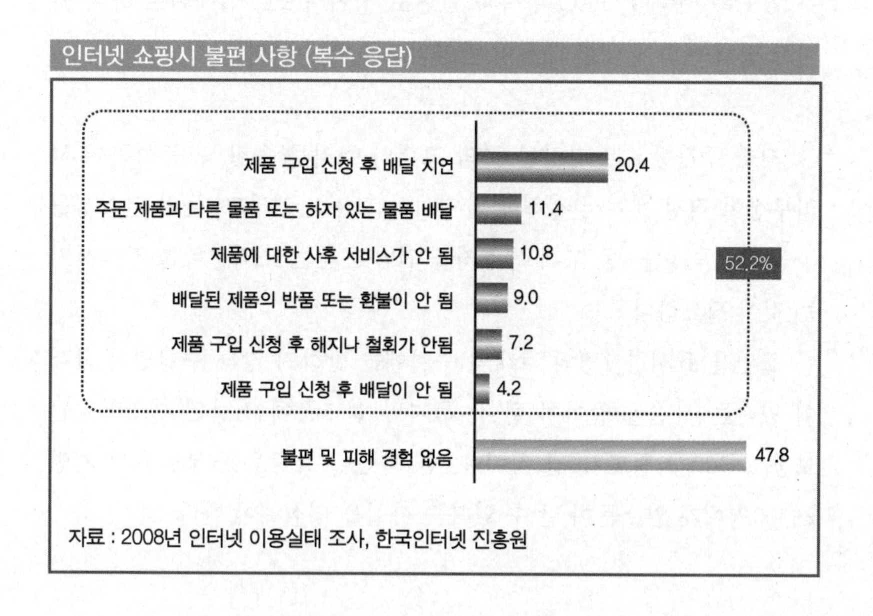

자료 : 2008년 인터넷 이용실태 조사, 한국인터넷 진흥원

최근 인터넷 쇼핑 이용고객들이 불편해 하는 사항을 보더라도 배송 지연, 사후 서비스 불편 등이 52.2%를 차지하고 있어, 서비스 품질 개선의 여지가 많이 있음을 알 수 있다.

인터넷 고객은 불만이 생겼을 경우 블로그, 카페, 지식인, 게시판 등 다양한 곳에서 자신의 의견을 표출한다. 따라서 해당 쇼핑몰에서는 자체적으로 고객들이 불만을 제시하고, 문제를 어떻게 처리해주겠다는 답변을 해줄 수 있는 소통의 공간이 필요하다.

반복적으로 고객들의 질문이 발생하는 것은 FAQ (Frequently Asked Questions) 형태로 정리하여, 고객들이 즉시 궁금증을 해결할 수 있도록 해준다. FAQ 항목과 답변도 정기적으로 업데이트 하여 서비스 정책 변화에 대한 내용이 반영되도록 해야 한다.

최소 주간단위로 다양한 곳의 고객의 소리를 수집 및 분석하여 사업부장이 직접 챙겨서 정책에 반영시킬 것은 반영하고, 몰의 편의성을 높일 것은 높이는 등 고객 목소리를 귀담아 듣는 조직문화를 정착시키는 것이 필요하다.

불만을 표시한 1명의 고객의 주변에는 말하지 않는 수십명의 고객이 있다는 사실을 알아야 한다. 독자님 핸드폰에 저장된 전화번호는 보통 2~300개 정도가 될 것이다. 한 사람이 쇼핑몰에 불만을 가지면 2~300명에게 입소문이 날 수 있다는 사실을 명심해야 한다.

제 10 부

눈에 보이는 지표로 관리하라

포인트

- 눈에 보이는 만큼 관리되고 경쟁력을 키울 수 있다.
  방문자 확대, 구매 전환율 제고의 역량을 파악할 수 있는
  - 유입 경로별 방문자 지표
  - 쇼핑몰 편의성 지표
  - 고객 활동성 지표
  - 상품 경쟁력 및 상품 공급자 활동성 지표
  - 고객 서비스 지표에 대해 이해한다.

제 10 부 눈에 보이는 지표로 관리하라

01 쇼핑몰 경쟁력은 지표로 확인하라

업무 활동 내용이 지표로 눈에 보여야 개선을 할 수 있다. 회사가 자원 투입을 결정할 때도 지표에 근거해야 가장 효과적으로 할 수 있다. 방문자 지표, 고객 지표, 메인 페이지 코너별 거래액 등 운영현황이 지표로 관리되어야 조직이 목표의식을 가지고 성장할 수 있다.

쇼핑몰의 성공 요소와 전략 실행 현황을 판단하기 위해서는 7가지 측면의 지표를 중점 관리해야 한다.

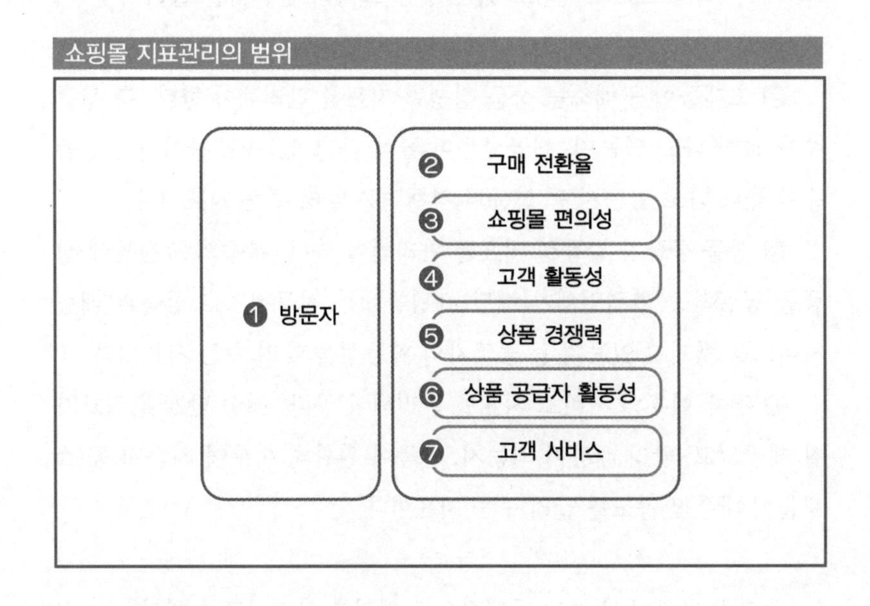

❶ 방문자 (UV) 지표를 관리해야 하다. UV (Unique Visitor)는 쇼핑몰의 전반적 경쟁력을 가늠할 수 있고, 향후 거래액의 추이를 선행해서 알려 주는 지표이다.

❷ 구매 전환율 (CR) 지표를 관리해야 한다. CR (Conversion Ratio)는 상품 구색, 쇼핑몰의 편리함, 서비스의 편리함 등 쇼핑경험에 관련된 전반적 역량을 나타낸다.

❸ 쇼핑몰의 편의성 지표를 관리해야 한다. 방문자가 쇼핑몰에 왔을 때 몰의 로딩 속도가 빠르고, 매장 네비게이션이나 검색이 잘 되어서 구매가 많이 일어날 수 있는 경쟁력을 알려 주는 지표이다.

❹ 쇼핑몰에서 구매하는 고객 활동성 지표를 관리해야 한다. 구매하는 고객수가 늘어나고 있는지, 신규고객이 늘어 나고 있는지, 충성고객도 지속적으로 축적되고 있는지 등 고객의 활동성을 알려 주는 지표이다.

❺ 고객들이 구매하는 상품 경쟁력 지표를 관리해야 한다. 총 상품수가 늘어 나고 있는지, 신규상품이 늘어 나고 있는지, 판매되는 상품수가 늘어 나고 있는지 등 상품의 경쟁력을 알려 주는 지표이다.

❻ 상품 공급자 활동성 지표를 관리해야 한다. 복수의 쇼핑몰에 상품을 공급하는 협력업체가 해당 쇼핑몰에서 적극적으로 상품과 배송서비스를 챙기고 있는지 등 공급자의 활동성을 알려 주는 지표이다.

❼ 결제 이후의 서비스 지표를 관리해야 한다. 배송 단계별 정보가 잘 제공되고, 빨리 배송이 되는지, 반품이 원활히 이루어 지는지 등 쇼핑몰에 대한 만족도를 알려 주는 지표이다.

각 지표에 대해서 좀더 구체적으로 의미를 살펴보도록 하자.

02

방문자 유입 게이트별 지표를 관리하라

UV는 일 단위와 월 단위로 나누어서 봐야 한다. 일 UV 추세를 보고 쇼핑몰이 지속적으로 경쟁력을 확보하고 있는지를 판단한다. 경쟁사에 비해 일 UV가 떨어지는 추세일 경우 카테고리별 상품의 풍부함, 매장이동의 편의성, 검색 품질, 몰의 속도 등 쇼핑몰 기본 역량 전반에 대해 경쟁사와 비교해야 한다. 또한 일 UV가 갑자기 올라 갈 경우에는 포탈에서 이벤트를 진행할 경우에 해당될 수 있다. 예를 들어, MP3를 100원에 준다든지 등 이벤트를 보고 방문자가 급증할 수 있다. 이러한 이벤트는 쇼핑몰의 지속적 경영성과 향상에는 그다지 도움이 되지 않

방문자 (UV) 지표

구분		개념 및 의미
UV	UV(일)	하루 동안 쇼핑몰에 방문한 건 수
	UV(월)	한달 동안 쇼핑몰에 방문한 건 수
UV 유입 경로	외부게이트	포탈, 가격비교 등을 통해 방문한 건 수
	키워드	키워드 광고를 통해 방문한 건 수
	메일	회원에게 발송한 메일을 통해 방문한 건 수
	직접 방문	바로가기 등 쇼핑몰로 직접 방문한 건 수
UV 유출 경로		방문자들이 유출한 사이트

는다. 의미 있는 UV는 쇼핑몰의 상품, 쇼핑정보, 고객 기반 등 기본 경쟁력 향상을 통해 올라가야 한다.

월 UV는 경쟁사에 비해 쇼핑몰의 방문자 규모가 많은지 여부를 볼 수 있는 지표이다. 예를 들면, 경쟁사에 비해 일 UV는 적지만, 월 UV가 많을 경우 해당 쇼핑몰은 경쟁사에 비해 방문빈도가 높은 패션류의 상품군이 취약하지만, 대형 가구, 생활 가전 등 내구재 상품군이 강한 특성을 가지고 있다고 판단할 수 있다.

UV 유입경로는 외부 게이트, 키워드 광고, 메일 및 직접 방문으로 구분해서 추이를 파악해야 한다. 외부 게이트는 포탈과 가격비교 사이트를 중심으로 구분해서 파악해야 한다. 네이버를 통한 방문자 유입이 감소 추세가 되면, 네이버 메인 페이지의 쇼핑몰명, 브랜드 검색 페이지에 좋지 않은 지식인 문답 내용, 네이버 가격비교 상품 DB 매칭 현황 등을 점검해봐야 한다. 특히 네이버 지식인 문답내용에 고객들의 나쁜 쇼핑 경험담이 많이 노출 될 경우 쇼핑몰의 UV 지표에 악영향을 준다.

에누리 등 가격 비교 사이트를 통한 방문자 유입이 감소 추세가 되면, 2가지를 점검해야 한다. 첫째, 상품 DB 매칭율을 점검 해야 한다. 쇼핑몰에서 상품 DB를 넘겨 줄 때 상품명에 제조사명, 브랜드명, 상품 모델 번호 등이 충실히 작성되어 있는 지를 점검해야 한다. 둘째, 경쟁사보다 가격 경쟁력이 떨어지는지를 파악해야 한다. 디지털 가전 상품 등 매출을 리딩하는 상품군 중심으로 가격 경쟁력을 비교 분석 해야 한다. 가격에 민감한 상품군은 전일에 비해 매출이 떨어지는 것이 감지되면 즉시 가격비교 사이트를 점검해서 대안을 수립해야 한다. G마켓이 사용하고 있는 옵션 상품 구매 기능은 가격 비교 사이트에서 최저가로 노출 될 수 있는 좋은 마케팅 수단이다.

키워드 광고를 통한 방문자 유입이 감소 추세가 되면, 2가지를 점검해야 한다.첫째, 대표 키워드, 세부 키워드 등 키워드 유형별로 잘 운영이 되는지 점검해야 한다. 세부 키워드 중심으로 집중 운영되면 방문자 유입이 감소될 수 있다. 둘째, 키워드 설명 문구를 점검해야 한다. 설명 문구의 할인쿠폰, 배송비 무료, 할인율 등 고객에게 제공되는 프로모션 내용이 경쟁사에 비해 소구력이 떨어지는지를 확인해야 한다.

메일을 통한 방문자 유입이 감소 추세가 되면, 발송된 메일이 제대로 회원들에게 도착 했는지, 발송 메일이 스팸으로 처리되는지, 메일 개봉율이 왜 떨어지는지, 메일 클릭시 제공되는 인센티브는 경쟁력이 있는지를 점검해야 한다. 메일 마케팅을 할때는 메일의 클릭율을 높이기 위해 할인 메리트를 주는 메일 제목을 사용하였다. '공짜', '최고 50% 할인' 등 가격 소구형 메일 제목이 클릭율이 높다.

직접 방문 유입을 증가 시키기 위해서는 바로가기 아이콘, 바탕화면에 상품 저장하기, 직접 방문한 고객에게 혜택제공 뿐만 아니라 검색 결과에 항상 직접 방문고객에게 혜택을 제공하는 매장이 노출 될 수 있도록 관리해야 한다.

UV가 유출되는 경쟁 사이트를 파악하여 경쟁사 벤치마킹의 우선순위를 정하고, 상품, 가격, 쇼핑관련 컨텐츠 등을 항상 모니터링 해야 한다. 신규고객을 1명 획득하는 것보다는 기존 고객을 지키는 것이 보다 효과적인 마케팅 방법이기 때문이다.

03

구매 전환율 지표를 관리하라

인터넷 통계정보를 제공하는 업체에서는 구매 전환율 (CR : visit to purchase conversion ratio)을 전체 방문 UV 중에서 주문완료 페이지 방문 UV로 정의한다. 이 기준에 의할 경우 G마켓의 구매 전환율이 약 25% 로서 쇼핑몰중에서 1위 이다.

반면 실제 쇼핑몰을 운영하는 현장에서는 구매 전환율을 쇼핑몰에 방문한 사람중에서 구매 결제를 한 구매객수의 비율을 의미한다. 보통 종합몰의 구매 전환율은 2 ~ 5% 정도이다. 100명이 방문하면 2~5명이 구매한다는 것이다. 구매 전환율은 쇼핑몰의 상품 구색, 검색 품질, 가격 경쟁력, 고객관리, 서비스 제공 능력을 포괄적으로 나타내는 지표이다.

구매 전환율을 높이기 위해서는 신규 고객과 기존 고객을 나누어서 접근해야 한다. 신규 고객의 구매 전환율이 낮아 질 경우, 경쟁사에 비해 첫 구매에 대한 마케팅 활동내용을 점검해야 한다. 첫 구매시 많이 구매하는 상품 카테고리의 구색이 경쟁력이 있는지, 프로모션 내용이 경쟁력이 있는지를 파악해야 한다. 또한 기존 고객의 구매 전환율이 낮아 질 경우, 상품 구색, 가격, 고객 관리 정책을 점검해 봐야 한다.

그리고 정기적으로 고객의 불만을 청취하여, 경영 정책과 업무에 반영하는 관리시스템을 운영해야 한다. 작은 불만이라도 겸손하게 받아들이고 개선활동을 전개해야 구매 전환율은 높아진다.

04

쇼핑몰 편의성 지표를 관리하라

쇼핑몰에 방문한 고객은 빠르고, 정확하고, 충분한 정보를 숙지한 다음에 구매에 대한 의사결정을 한다. 이때 고객이 체감하는 쇼핑 경험이 편안하고 만족스럽게 진행이 되는 지를 지표로 관리해야 한다.

쇼핑몰 편의성 지표

구 분	개념 및 의미
❶ 로딩 속도	쇼핑몰 컨텐츠를 방문자에게 제시할 때까지의 소요 시간
❷ 검색 성공율	고객이 검색 요청한 결과 페이지를 클릭한 비율
❸ 페이지 뷰	방문자가 쇼핑몰에서 페이지를 본 수

❶ 로딩 속도는 인터넷 쇼핑시 편의성에 첫번째 영향을 준다. 메인 페이지의 텍스트와 이미지가 늦게 뜰 경우 기다리는 시간에 짜증이 나게 된다. 쇼핑시 고객이 지급하는 것은 돈과 시간이다. 시간도 고객이 가지고 있는 소중한 자산이므로 최대한 빠르게 페이지가 넘어갈 수 있도록 해야 한다. 쇼핑몰에서 대형 이벤트를 할 경우, 이벤트 서버는 독립적으로 운영하여 상품을 구매하는 고객에게는 속도의 불편감을 주지 않도록 하였다. 또한 팝업창도 가능하면 자제하여 로딩 속도가 최상의 컨디션으로 유지될 수 있도록 해야 한다.

❷ 검색 성공율은 검색을 한 후, 해당 검색 결과 페이지를 클릭 하였는가를 파악하는 지표이다. 검색창의 자동 검색기능, 검색어 DB의 지속적 보완, 키워드 검색 페이지의 관리 등을 해야 한다.

❸ 페이지 뷰는 쇼핑몰에서 고객들이 정보 탐색을 얼마나 많이 하는가를 알 수 있는 지표이다. 쇼핑몰이 가지고 있는 상품 구색, 상품구매에 도움이 되는 전문가 리뷰 등 쇼핑 컨텐츠 경쟁력이 있어야 고객 일인당 페이지 뷰가 많아 진다.

05

고객 활동성 지표를 관리하라

고객이 있으면 사업을 지속적으로 운영할 수 있다. 고객의 수가 늘어나는 추세라면 사업은 성장의 선순환 고리를 만들어 갈 수 있다.

고객 지표

구 분		개념 및 의미
회원수		쇼핑몰 회원 가입자 수
	메일 수신 등록 고객 수	회원 가입시 메일 수신 승인자 수
	SMS 수신 등록 고객 수	회원 가입시 문자 수신 승인자 수
구매 객수		회원 중에서 구매 이력이 있는 자
	일반 등급 구매 객수	구매 활동 정도에 따라 제공되는 혜택이 차등적으로 적용됨
	단골 등급 구매 객수	
	충성 등급 구매 객수	
채널별 구매 객수	복수 채널 이용 구매 객수	2개 이상의 쇼핑 채널에서 구매하는 자
휴면 고객 수		1년 이상 구매 이력이 없는 자

회원은 쇼핑몰 이용 약관에 동의를 하고, 쇼핑에 필요한 개인의 정보를 등록하면 된다. 2000년 초창기에는 쇼핑몰의 회원수가 몇 명인가가 중요한 관리 지표였던 적도 있다. 산업의 라이프 사이클상 쇼핑몰 산업이 초기 단계일 때 신규회원의 확보는 성장기에 살아 남을 수 있

는 소중한 자산이다. 2000년에 GS이숍이 후발주자로 쇼핑몰 사업에 진입했지만, 그 당시 1위 였던 삼성몰 등 선두 쇼핑몰을 따라 잡을 수 있었던 것은 신규회원 확보에 마케팅 자원을 집중 투입했던 것에 기인한다.

회원에게 구매 경험을 제공하기 위해서는 소통할 수 있는 커뮤니케이션 수단이 있어야 한다. 이때 필요한 것이 정확한 메일 주소와 핸드폰 SMS 수신 동의를 받는 것이다. 메일과 문자 서비스는 고객에게 마케팅 정보를 제공하는데 가장 저렴한 수단이다. 필자의 경우, 고객들을 대상으로한 보험 등 금융 마케팅을 하기 위해 회원 가입시 문자 수신 동의를 촉진하는 이벤트를 진행하였다.

당월 회원가입만 하고 첫 구매를 하지 않은 회원을 대상으로는 첫 구매를 촉진하는 마케팅 활동을 해야 한다. 회원가입만 한 상태에서 시간이 경과할수록 구매 유도하는데 더 많은 비용이 수반된다.

구매 객수는 쇼핑몰의 상품을 구매한 이력이 있는 고객 수를 나타내는 지표이다. 고객등급은 쇼핑몰별 고객 관리 정책에 따라 다양한 등급으로 구분해서 관리 될 수 있다.

보통 CRM 팀에서 고객 구매 내용을 6개월 단위로 RFM 기준으로 등급을 구분해서 관리한다. 하지만 인터넷 쇼핑 사업에서는 피드백이 빨라야 되고, 등급에 대한 기준도 간단한 것이 좋다. 따라서 G마켓처럼 쇼핑의 구매빈도에 의해서 고객을 점수단위로 관리하고, 일정 점수 이상이면 어떤 혜택이 제공되는지를 알려주는 단순한 방식이 효과적일 것이다. 또한 등급관리 해당 점수가 되는 즉시 혜택을 받을 수 있도록 하는 것이 고객 입장에서는 더 좋은 것이다.

그리고 구매객수가 꾸준히 증가하고 있는지를 파악해야 한다. 사업이 지속적으로 성장하고 있는가를 판단할 수 있는 주요 지표이다. 구매객수를 감소시키는 비용 절감형 영업전략은 시간이 지나면 사업자체가 존립할 수 없는 상황을 초래할 수 있다.

복수 채널 이용 구매 객수는 동일 법인에서 운영하는 쇼핑 채널 중 2개 이상을 이용하는 고객의 수이다. 예를 들면, 오프라인 백화점과 인터넷 백화점을 같이 이용하는 경우, TV홈쇼핑과 홈쇼핑에서 운영하는 인터넷 쇼핑몰을 같이 이용하는 경우이다. 고객이 복수의 채널을 이용하는 이유는 채널간에 상호 보완적 역할을 하기 때문이다. 복수의 채널을 이용하는 고객일수록 쇼핑 금액도 많아지고 충성도도 높아 진다.

휴면 고객수는 최종 구매이후 1년 이상 구매활동을 하지 않는 고객을 의미한다. 휴면기간 정의는 쇼핑몰의 고객 관리 정책에 따라 달라질 수 있다. 휴면으로 들어간 고객은 안 좋은 쇼핑 경험을 했을 경우가 대부분이다. 가격 불만, 상품 품질 불만, 배송 소요 시간 불만 등 다양한 불만 요소가 있으므로, 고객 조사를 통해 해결과제를 찾아서 풀어나가야 한다. 휴면 고객을 다시 쇼핑몰로 돌아오게 하는 웨이크 업 활동은 휴면 기간이 짧은 고객을 우선으로 해서 실행하는 것이 보다 효과적이다.

또한 다음 그림의 고객 활동 지표 로직 트리를 통해 고객 활동 상태가 건강한 지를 모니터링할 수 있다.

고객 활동 지표 로직 트리

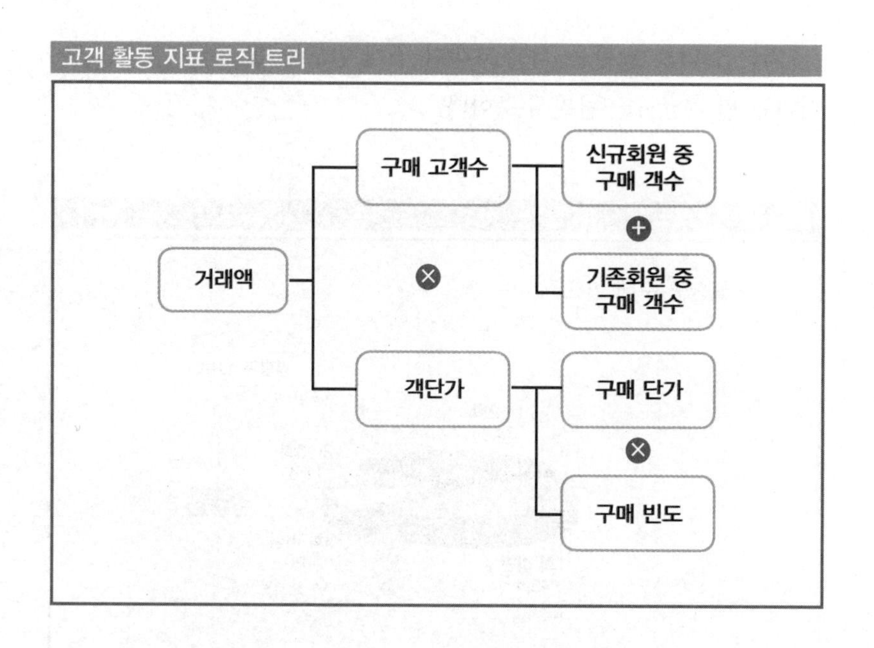

예를 들어, 거래액이 줄어들고 있을 경우, 구매 고객수에 문제가 있는지, 객단가에 문제가 있는지를 파악하고, 상황에 적합한 대응책을 전개 해야 한다.

또한 마케팅 자원을 투입하는 전략을 수립할 때도 보다 효과적으로 집행할 수 있다. 예를 들면, 경기가 어려워 소비심리가 위축될 때에는 객단가를 높이는 것 보다는 구매 고객수를 높이는 마케팅 전략을 수립하고, 이에 적합한 자원을 투입해야 한다. 반면 경기가 호경기 일 때는 객단가를 높이는 마케팅 전략을 수립해야 한다. 구매단가가 높은 상품을 주력해서 팔고, 구매빈도가 높은 고객에게 많은 혜택을 주는 전략을 펼쳐야 하는 것이다.

최근 인터넷 쇼핑몰 쇼핑 고객의 구매 빈도는 월 평균 1.8회, 구매 단가는 월 평균 41.5천원 수준이다.

월평균 구매 빈도와 구매 단가

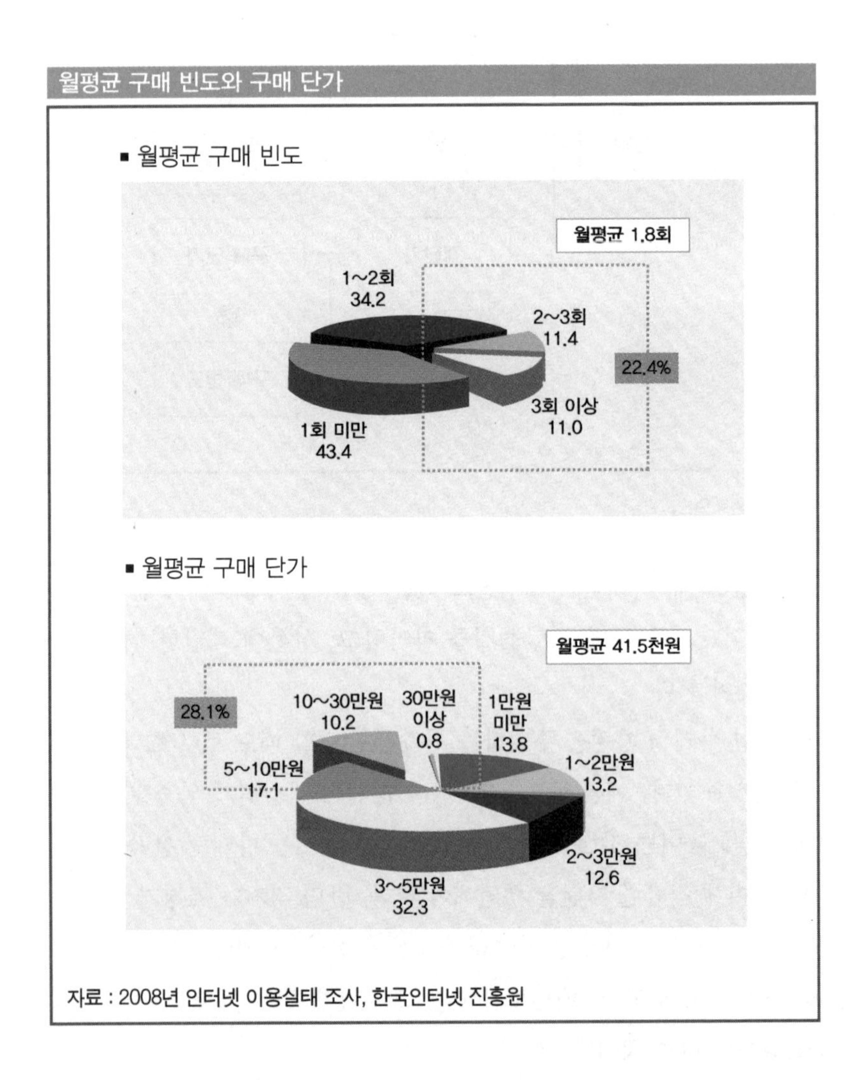

자료 : 2008년 인터넷 이용실태 조사, 한국인터넷 진흥원

06

상품 경쟁력 지표를 관리하라

상품 경쟁력 지표는 양적인 지표와 질적인 지표를 동시에 고려 해야 한다. 총 상품 수는 롱테일의 법칙에 따라 많아야 한다.

상품 경쟁력 지표

구분		개념 및 의미
총 상품 수		몰에 리스팅되어 고객이 주문할 수 있는 상품
	신규 상품 수	기준 시점 이후에 등록된 상품
	기존 상품 수	기준 시점 이전에 등록된 상품
판매 상품 수		판매 이력이 1번 이상 있는 상품
	구매전환 상품 비율	총 상품 수 중에서 판매 이력이 있는 상품 수
판매 상품 수량		판매가 된 총 상품 수량
	상품평 있는 상품 수	구매고객이 이용 후기를 남긴 상품
	동영상 있는 상품 수	상품 설명을 동영상으로 하는 상품
상품 노출 리드 타임		상품 등록에서 쇼핑몰에 노출되기 까지 소요 시간

신규 상품 수는 쇼핑몰의 참신성과 트렌드를 리더하는가에 대한 이미지를 심어준다. 신상품의 등록 수가 몇 개인지 매일 지표로서 관리해야 한다. 신상품 등록에 실무자들이 애로 사항을 겪고 있으면, 사업

부장은 즉시 해결이 되도록 자원 투입을 해야 한다.

판매 상품 수는 판매 이력이 1번 이상 발생한 것을 나타낸다. 노출된 총 상품 중에서 판매 이력이 있는 상품 수가 어느 정도인지를 파악하는 구매전환 상품비율을 관리하여, 등록된 상품들이 잘 팔리는 상품인가를 체크해야 한다.

판매 상품 수량은 판매가 된 총 상품 수량을 의미한다. 1개의 상품이 3개가 판매 되었을 경우, 판매 수량은 3개이다. 상품 당 판매수량을 확인하여 베스트 셀러 상품이 늘어나고 있는지를 확인할 수 있다.

상품평과 동영상이 있는 상품수를 관리하여 정보제공의 경쟁력이 있는 상품 수가 증가하고 있는지를 파악할 수 있다.

상품평은 포탈에서도 활용될 수 있는 훌륭한 마케팅 자산이다. 쇼핑몰의 상품평 DB는 네이버 등 포탈 사이트에도 노출이 되므로 상품평이 많은 쇼핑몰로 고객이 몰릴 가능성이 더욱 높아 진다. 특히 상품군 중에서도 의류, 속옷 등 고객의 착용 이미지가 있는 상품평은 쇼핑몰에 고객이 더 많이 몰려 올 수 있게 하는 훌륭한 입소문 마케팅 자산이다. 상품평 개수가 많은 상품은 판매도 많이 되고, 많이 팔린 상품이 품질도 믿을 수 있다라는 설득력을 제공한다. 상품팀을 운영할 때 매달 상품평을 작성해준 고객을 대상으로 사은품을 제공하는 마케팅을 했었다. 상품평이 모여 지면 상품과 상품평을 모아서 기획전도 운영하여 좋은 결과를 거두었다. 상품평이 붙으면 매출이 3배이상 더 나오기도 한다.

네이버 지식쇼핑에서 상품검색시 제공되는 상품평 페이지

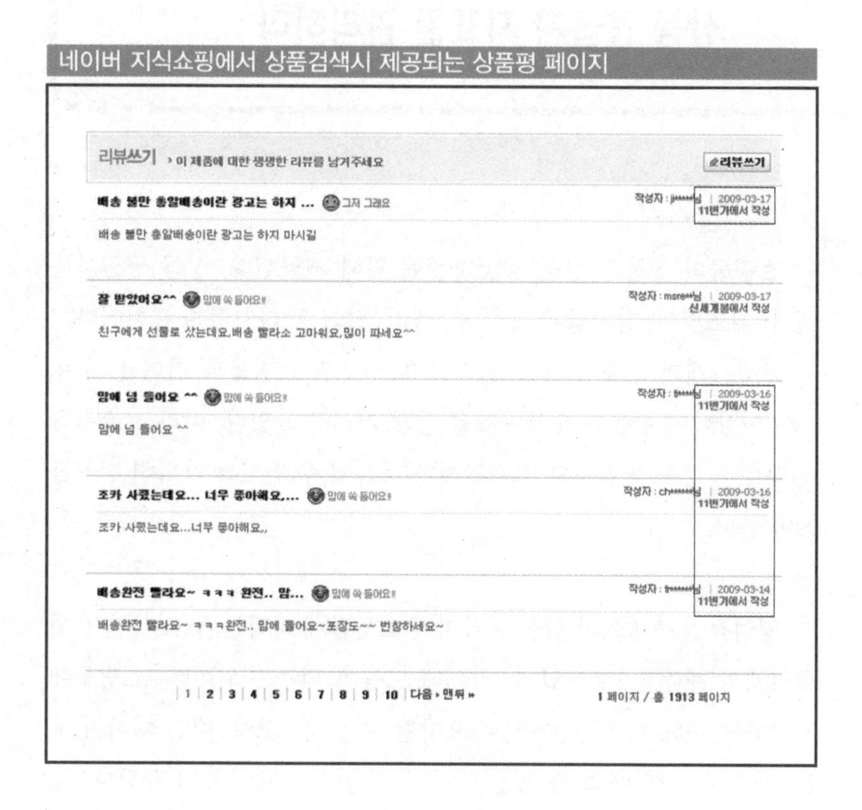

상품노출 리드 타임은 상품 등록에서 노출까지 소요되는 시간을 파악하는 지표이다. 신상품이 빨리 노출되는 쇼핑몰이 고객에게 상품을 먼저 팔 수 있다. 결품으로 인한 구매 취소도 줄일 수 있다. 특히 패션 상품은 최대한 빨리 노출 될 수 있도록 리드 타임을 관리해야 한다.

07

상품 공급자 지표를 관리하라

쇼핑몰의 상품은 상품 공급자들에 의해 제공된다. 상품 공급자는 벤더, 제조업체, 협력업체, 판매자, 셀러, 딜러 등 다양하게 표현된다.

보통 1개의 상품 공급자는 7~10개 정도의 쇼핑몰과 거래를 하며, 90% 이상이 종합몰과 오픈마켓을 함께 거래하고 있다. 따라서 쇼핑몰은 우수한 상품 공급자와 협력관계가 지속될 수 있도록 각별히 신경을 쓰야 한다.

영업적인 측면에서 상품 공급자가 쇼핑몰에 바라는 주요 사항은 협력업체의 매출을 더 높일 수 있는데 도움이 되는 지원이다. 쇼핑몰에 기대하는 주요 니즈는 3가지로 요약할 수 있다. 첫째, 메인 페이지 노출, 검색 시 상단에 노출 등을 통해서 매출이 많이 나오길 원한다. 둘째, 미니샵 등 판매자의 가게 브랜드 인지도를 높여 가길 원한다. 판매자가 자율권을 가지고 상품 카테고리를 만들고, 상품을 진열하고, 단골 고객들과 커뮤니케이션 등을 할 수 있는 독자 공간을 원한다. 이를 통해 판매자는 가게의 브랜드 인지도, 파워 딜러 등 무형의 권리 자산을 키우기를 원한다. 예를 들어 판매자가 G마켓의 파워딜러가 된다는 것은 판매자가 종사하는 업계에서 본인의 명성을 높이는데 도움이 되는 호칭이 된다는 것이다. 셋째는 정산 주기가 빨라서 상품 재 구입을 위한 현금흐름이 좋아지기를 원한다.

판매자가 쇼핑몰에 기대하는 주요 3가지 니즈

구분	판매자의 주요 3가지 니즈	운영의 예시
1	판매자의 상품이 많이 팔려 매출이 많이 나오길 원함	• 메인 페이지 노출 • 검색 시 상단에 노출 등
2	판매자의 가게 브랜드 인지도를 높여 나가길 원함	• 미니샵, 가게 등 독립 공간 운영 • 파워셀러, 서비스 우수 딜러 등 무형의 명성 제공
3	정산을 빨리 해서 현금흐름이 원활하길 원함	• 7일 정산 등

이러한 판매자의 니즈를 정확히 파악하여 우수한 판매자를 더 육성시킬 수 있는 정책과 운영방법을 동원해야 한다.

상품 공급자 지표 중에서 활동 등급별 공급자 분류는 쇼핑몰 정책에 따라 다양하게 운영될 수 있다. 관건은 우수 공급자에게 대금정산 주기, 마케팅 지원 등을 제공하여 상품 공급자가 우선적으로 고려하는 쇼핑몰이 될 수 있도록 정책을 펴나가야 한다.

상품 공급자 지표

구 분		개념 및 의미
총 공급자 수		쇼핑몰에 상품 공급하는 협력업체 수
	신규 공급자 수	기준 시점 이후부터 상품 공급하는 업체 수
	기존 공급자 수	기준 시점 이전에 상품 공급하는 업체 수
매출 발생 공급자 수		특정 기간 동안 매출이 발생한 업체 수
활동 등급별 공급자 수	일반 등급	판매 활동 정도에 따라 쇼핑몰에서 제공되는 혜택이 차등 적용됨
	우수 등급	
	최우수 등급	
서비스 등급별 공급자 수	서비스 우수	배송, 반품 등 주요 서비스 활동 정도에 따라 쇼핑몰에서 제공되는 혜택이 차등 적용됨
	서비스 불량	

또한 서비스 등급별 공급자 관리는 배송, 반품과 같이 고객들이 가장 중요하게 생각하는 서비스, 가장 불만 제기가 강한 서비스를 반영하여 운영해야 한다. 서비스가 우수한 공급자는 쇼핑몰에 서비스가 우수하다는 아이콘을 생성하여 고객들이 편안하게 구매할 수 있도록 해야 한다.

08

고객 서비스 지표를 관리하라

고객은 쇼핑 경험과정에서 정보의 부족함을 느끼거나, 불만이 있을 경우 CS (Customer Service)를 요구한다. CS가 발생될 경우 신속 정확하게 고객에게 처리 결과를 피드백 해 줘야 하다. 미온적인 응대나 불성실한 응대는 고객을 영원히 잃어 버릴 수 있고, 포탈에서 불만 표출 등으로 다른 많은 가망고객을 확보하기 어려울 수도 있다.

서비스 지표

구 분		개념 및 의미
총 CS 수		쇼핑몰에 접수 된 고객의 문의 및 서비스 요청 건수
	결제 CS 건수	결제 관련 문의 및 서비스 요청 건수
	배송 CS 건수	배송 관련 문의 및 서비스 요청 건수
	반품 CS 건수	반품 관련 문의 및 서비스 요청 건수
배송 정보 제공 서비스		결제 후 부터 상품 배송 완료까지 제공되는 정보
배송 정보 제공 품질	메일 발송율	배송 단계별 메일 요청 건수 대비 발송 건수
	SMS 발송율	배송 단계별 SMS 요청 건수 대비 발송 건수

총 CS 요청 건수는 경영자가 직접 챙겨야 한다. 고객은 사업의 중요한 자산이기 때문에 경영자가 고객이 요청한 CS 사항에 대해 즉시

의사결정을 해줘야, 고객의 불만족을 조기에 해결할 수 있다. CS 중에서도 고객에게 가장 영향을 많이 주는 결제, 배송, 반품 등 핵심 이슈에 대해 경영 자원을 집중해서 개선을 추진해야 한다.

배송 정보 제공 서비스는 결제 후부터 배송이 진행되는 단계별로 고객에게 SMS, 메일로 알려 주는 것이다. 결제 완료시 배송준비를 시작한다는 정보제공이 되는지, 상품이 택배사로 전달이 되었는지 등을 알려 줘야 한다.

특히 SMS 발송율은 매일 확인하여 정보제공 품질을 체크해야 한다. 예를 들어, 무통장 입금 고객이 취소를 했을 경우, 고객이 거래하는 은행 구좌에 2일이내에 환불이 된다는 문자를 보내야 한다. 그래야 고객은 문의하지 않고 안심하고 기다린다. 또한 상품이 택배사로 이동되어 송장번호를 문자로 받으면, 2일이내 도착할 것으로 알고 안심하고 기다린다.

제 11 부

손익관리 디테일하게 하라

포인트

- 영업의 노하우를 활용해 변동비를 줄이고, 시스템 혁신을 통해 고정비를 줄이는 방법을 이해한다.
- G마켓 사이버 화폐인 G스탬프, 할인쿠폰, 마일리지, G캐시를 마케팅 툴로 사용하는 방법을 확인한다.

제 11 부 손익관리 디테일하게 하라

01 손익의 구조를 이해하라

02 할인을 잘해야 돈이 남는다

03 매출이익율보다 매출이익액으로 챙겨라

04 운영 노하우로 변동비를 줄여라

05 시스템 혁신으로 고정비를 줄여라

06 저비용 구조로 운영되게 하라

01

손익의 구조를 이해하라

G마켓은 2008년에 거래액 39,859억원, 영업이익 496억원으로 거래액 대비 영업이익율이 1.2% 수준이다. G마켓이 판매자들로부터 받는 광고 수수료 수입 비중이 높은 것을 감안하면 낮은 영업이익율이다. 이는 광고 수입 비중이 작은 대부분의 쇼핑몰에서 수익을 창출하기 위해서는 손익 구조의 꼼꼼한 관리가 필요하다는 것을 의미한다.

주요 손익 항목

구분		항목의 주요 성격
(할인)	· 할인쿠폰 · 가격할인	구매 촉진, 고객관리를 위해 제공되는 할인
거래액		업계의 시장 점유율과 관련됨
매출이익액	· 거래 수수료 수입 · 광고 수수료 수입	사업의 수익모델과 관련됨
변동비	· 카드 가맹 수수료 · 무이자 할부 수수료 · 제휴 수수료 · 키워드 광고비 · 적립 포인트 · 배송비 · 콜센터비	거래액과 비례해서 발생되는 비용이나 영업의 노하우에 의해 절감될 수 있음
고정비	· 인건비 · 광고선전비	고정성 비용이나 경영혁신으로 절감될 수 있음
영업이익		사업운영 경쟁력과 관련됨

손익을 관리하기 위해서는 가격 할인, 매출이익액, 변동비, 고정비를 디테일하게 챙겨야 한다.

할인은 구매 촉진과 고객 관리를 위해 제공되는 할인쿠폰과 판매시 상품가격을 낮추는 가격할인이 있다.

매출이익액은 사업의 수익모델과 관련된 것으로 상품의 거래수수료 수입과 광고 수수료 수입이 있다.

거래액과 비례해서 발생되는 주요 변동비는 카드 가맹수수료, 무이자 할부 수수료 등 7개의 세부항목이 있으며, 영업의 노하우와 마케팅 툴의 개발로 절감 할 수 있다.

고정비는 인건비, 광고선전비 등이 있으며, 경영혁신 활동으로 절감 할 수 있다.

각 항목에 대해 자세히 살펴 보도록 하자.

02

할인을 잘해야 돈이 남는다

할인쿠폰은 2가지 유형이 있다. ❶ 특정 상품에만 적용되는 상품 할인쿠폰, ❷ 특정 고객만 이용할 수 있는 고객 할인쿠폰이 있다.

할인 항목

구분		항목의 주요 성격
(할인)	• 할인쿠폰 • 가격할인	구매 촉진, 고객관리를 위해 제공되는 할인

❶ 상품 할인쿠폰은 다른 변동비 항목인 무이자 할부기간, 포인트 적립액 등 다른 변동비 항목을 조정한후 상품 마진율을 고려하여 사용해야 한다.

❷ 고객 할인쿠폰은 정액쿠폰과 정율쿠폰의 사용 특성을 이해하고 운영해야 한다. 5,000원 할인 등 정액쿠폰의 경우 저단가 상품에 많이 사용되며, 5% 할인 등 정율쿠폰의 경우 고단가 상품에 많이 사용된다. 즉 고객은 받는 쿠폰의 종류에 따라 최대의 할인액을 받을 수 있는 가격대의 상품을 구매한다.

가격할인은 상품페이지에 할인내용 표기를 선택적으로 잘 해야 한다. 할인율을 표기할 때와 할인액을 표기할 때를 구분하여 운영하여야 한다. 할인율을 표기할 때는 저단가 상품의 경우 할인액은 적지만 할인율은 높게 표기할 경우에 사용한다. 반면 고단가 상품의 경우 할인액을 표기하여 고객이 체감하는 할인 금액을 크게 느낄 수 있도록 해야 한다. 예를 들어, 100만원짜리 카메라를 90만원에 팔 때, 10%할인보다는 100,000원 할인을 강조하는 것이 더 효과적이다.

03 매출이익율보다 매출이익액으로 챙겨라

쇼핑몰 사업은 매출이익율보다는 매출이익액으로 성과 관리를 해야 한다. 백화점이나 TV 홈쇼핑처럼 공간이나 시간의 제약이 있는 판매채널은 매출이익율 관리가 중요하다. 하지만 공간이나 시간의 제약이 없는 쇼핑몰은 매출이익액으로 관리해야 한다. 필자가 상품 영업시 협력업체나 상품을 구색확보 차원에서 꼭 유치해야 할 경우에 변동비를 커버할 수 있는 수수료면 입점을 시켰다. 이럴 경우 매출이익율은 떨어지지만 많이 팔릴 경우 매출이익액이 증가하여 손익관리에는 도움이 될 수 있다.

매출이익액 항목

구분		항목의 주요 성격
매출이익액	· 거래 수수료 수입 · 광고 수수료 수입	사업의 수익모델과 관련됨

또한 쇼핑몰의 방문자가 증가함에 따라 광고 수수료 수입도 일정부분 챙길 필요가 있다. 오픈마켓의 경우, 키워드 광고, 배너 광고 등 다양한 광고 수수료 수익원을 개발하여 운영하고 있다. 최근 종합몰의 경우에도 오픈마켓의 광고수입 모델을 응용하여, 광고 수입을 늘려 나가고 있는 추세이다.

04 운영 노하우로 변동비를 줄여라

변동비는 거래액과 비례해서 발생되지만, 운영의 묘를 살리면 절감할 수 있다. 카드 가맹수수료는 카드사와 가맹 수수료율 계약에 따라 2~4%로 차이가 있다. 따라서 가맹수수료가 적은 카드를 많이 사용할 수 있는 공동 이벤트를 함으로서 비용을 줄 일 수 있다.

변동비 항목

구분		항목의 주요 성격
변동비	• 카드 가맹 수수료 • 무이자 할부 수수료 • 제휴 수수료 • 키워드 광고비 • 적립 포인트 • 배송비 • 콜센터비	거래액과 비례해서 발생되는 비용이나 영업의 노하우에 의해 절감될 수 있음

무이자 할부 수수료는 고객이 일시불로 결제하거나 할부기간을 짧게 선택하면 혜택을 제공함으로써 비용을 줄일 수 있다.

게이트 웨이 사이트에 지급하는 제휴 수수료는 거래액에 비례하는 변동제를 운영하는 것을 원칙으로 해야 한다. 고정금액으로 제휴 수수료를 지급하게 되면 상호 윈윈이 되는 구조가 아니므로 쇼핑몰 입장에서는 비용이 과다하게 발생 하게 된다. 불가피하게 고정금액으로 진행해야 할 경우에는 계약기간을 3개월 또는 6개월으로 짧게 하여 효율이 낮을 경우 다른 방법을 모색해야 한다.

키워드 광고비는 대표 키워드 보다는 세부 키워드를 사용하는 것이 효율적이다. 불가피하게 대표 키워드를 사용해야 하는 경우 비용 지불 방식을 CPC (Cost Per Click; 클릭당 광고비가 발생됨) 방식보다는 CPM (Cost Per Million; 일정기간 고정된 광고비가 발생됨) 방식으로 하여 효율성을 높일 수 있다. 또한 패션, 생활용품과 같은 고마진 상품군의 키워드를 확보하여 수익성을 높여야 한다.

보통 대형 쇼핑몰의 경우 키워드 광고 대행업체를 사용하는데, 대행업체에게 맡겨 두지 말고 사업부장이 초반에 키워드별 수익성을 꼼꼼하게 챙겨서 비용이 효율적으로 사용되게 해야 한다.

적립 포인트는 재구매를 촉진하기 위해 사용되는 마케팅 비용이다. 경쟁사 수준으로 사용하되, 유효기간을 적용해야 한다. 구매고객에게 지급할 때도 고객이 몰에 방문하여 다운로드 받게 하여 방문빈도도 높이고, 일정 기간내 다운로드 받지 않으면 소멸시켜서 낙전 수입이 발생되는 구조로 운영하면 비용을 절감할 수 있다.

배송비는 전담 배송사와 계약을 맺어 규모의 경제에 의한 택배비 단가 할인 혜택을 받도록 한다. 또한 필요하다면 반품 택배비에 대해서는 협력업체와 합리적인 선에서 분담하는 것도 고려해야 한다.

콜센터비는 콜업무를 응대하는 인건비가 대부분을 차지한다. 콜센터비를 줄이기 위해서는 쇼핑몰에서 고객이 필요로 하는 정보가 충실히 제공되어야 한다. 문의 빈도가 많은 항목은 쇼핑몰의 FAQ (Frequently Asked Questions)에 신속히 반영하여 비용을 줄일 수 있다.

콜센터 비용을 줄일 수 있는 FAQ 내용

FAQ SEARCH 궁금한 점이 있으세요? FAQ검색을 이용해보세요.
최근에 고객님들이 자주 묻으시는 질문에 대한 답변들이 모여 있습니다.

전체 검색

home > 고객센터

번호	제 목	조회수
1	배송 진행 상태가 궁금합니다.	1485018
2	GSM 설치하는 방법을 알려주세요.	1041948
3	마일리지란 무엇인가요?	944272
4	회원탈퇴는 어떻게 하나요?	610851
5	레벨이 올라가면 어떤 혜택이 있나요?	605962
6	배송이 지연되는 이유를 알고싶어요.	596401
7	신용카드로 결제했는데 환불은 어떻게 받나요?	495415
8	G스탬프는 어디에 이용할 수 있나요?	391613
9	입금을 했는데 계속 『입금확인대기』로 나와요. 어떻게 해야 하나요?	384500
10	G캐시는 어디에 사용하나요?	352963

05

시스템 혁신으로 고정비를 줄여라

고정비는 시스템 개발 등 경영혁신을 통해 절감할 수 있다. 인건비 사용의 원칙은 인당 급여는 최고 수준, 총액 인건비는 최소 수준으로 운영되게 해야 한다. 인건비를 절감하는 방법은 3가지가 있다. 첫째, 인당 업무량을 늘리는 것이다. 업무 중 불필요한 시간 로스를 없애고 업무에 집중함으로써 생산성을 증가시키는 것이다. 예를 들어, 집중 근무시간제 운영을 통해 업무 집중력을 높여 보다 많은 과제를 해결하는 것이다. 둘째, 직원들의 경험과 노하우를 축적시켜 공유할 수 있게 하는 것이다. 사내 인트라 넷에 직원들의 경험을 공유할 수 있는 시스템을 마련하는 것이다. 같은 일을 다른 사람이 새로 맡을 경우 기존의 노하우를 공유함으로서 시행착오를 최소화 할 수 있다. 또한 업무 수행과정에 궁금한 점을 묻고 답할 수 있는 제도를 운영함으로써 업무 추진의 속도를 높일 수 있다. 사내 인트라넷을 통해 네이버의 지식인처럼 집단지성이 운영되게 하는 것이다. 셋째, 반복적인 업무를 전산

고정비 항목

구분		항목의 주요 성격
고정비	• 인건비 • 광고선전비	고정성 비용이나 경영혁신으로 절감될 수 있음

화하는 것이다. 예를 들면, 실적분석 업무를 전산화함으로서, 분석 업무 담당자가 다른 업무를 하여 회사의 생산성을 높일 수 있다.

광고선전비는 통상 영업이익 달성의 안전판으로 운영되기도 한다. 영업이익 달성이 어려우면 광고선전비를 절감하고, 목표를 초과 달성할 것 같으면 브랜드 인지도를 올리기 위해 집행되는 경향이 있다. TV광고의 경우 월 20억규모는 집행해야 광고인지도가 생긴다. 인터넷 쇼핑몰의 광고는 TV광고보다는 인터넷에 집중 운영해야 한다. 쇼핑몰의 경우 포탈의 키워드 광고, 블로그 광고, 가격비교 사이트 내 이벤트 광고가 효과적이다.

06

저비용 구조로 운영되게 하라

Low Cost Operation ! 인터넷 쇼핑몰 사업을 흑자경영으로 유지하기 위해서는 필사적으로 고수해야 하는 원칙이다. 10% 전후의 거래수수료 수입으로 변동비와 고정비를 커버하고 영업이익을 내기 위해서는 빈틈없이 챙기고, 작은 비용도 쪼개어 사용해야 한다.

G마켓의 사이버 화폐 활용 현상을 보면 저비용으로 마케팅 재원을 마련하기 위한 활동을 파악할 수 있다. 사용하는 사이버 화폐가 G스탬프, 마일리지, G캐시, 할인쿠폰의 4가지가 있다. 여기서 상품을 구매할

G마켓의 사이버 화폐

구분	개념/목적	주요 활용 수단/비고
G스탬프	G마켓 내 고객들의 체류시간 증대 등 고객 활동을 활성화시키는 수단	• 행운경매 입찰, 쿠폰 교환 등 이벤트 응모시 사용 • 상품구매, 직접방문 등을 통해 생성됨
마일리지	상품 구매 또는 수취확인 촉진 수단	• 1만 마일 이상 G캐시 환전 가능 • 3년 유효
G캐시	G마켓 내 유료 서비스 이용할 때 사용	• 공동구매 전시권 등 판촉 아이템 구매시 사용 • 해외 배송비 결제시 사용
할인쿠폰	상품 구매시 사용	• 상품 구매시 유일하게 사용할 수 있음

때 사용할 수 있는 것은 할인쿠폰만 가능하다. 다른 것은 고객을 활성화 시키는 이벤트나 G마켓내 유료서비스를 결제할 때 사용될 수 있도록 설계되어져 있다.

단, 사이버 화폐간에 교환될 수 있도록 하여 이용 고객들의 불만을 해결할 수 있도록 설계되어져 있다. G스탬프 5장은 할인쿠폰 1천원과 교환하여 상품 구매시 사용할 수 있다. 마일리지는 1만 마일 이상일 경우 G캐시로 환전하여, 해외 배송비 결제시 사용할 수 있다.

저비용 구조로 운영하기 위해서는 상품 공급업체와 고객을 활용할 수 있어야 한다. 공급업체의 활용은 상품등록과 관리 업무, 고객의 서비스 요청내용에 대한 응답 및 처리 진행을 할 수 있도록 해야 한다.

G마켓의 고객간 질문과 답변을 할 수 있는 공간 : 쇼핑SOS

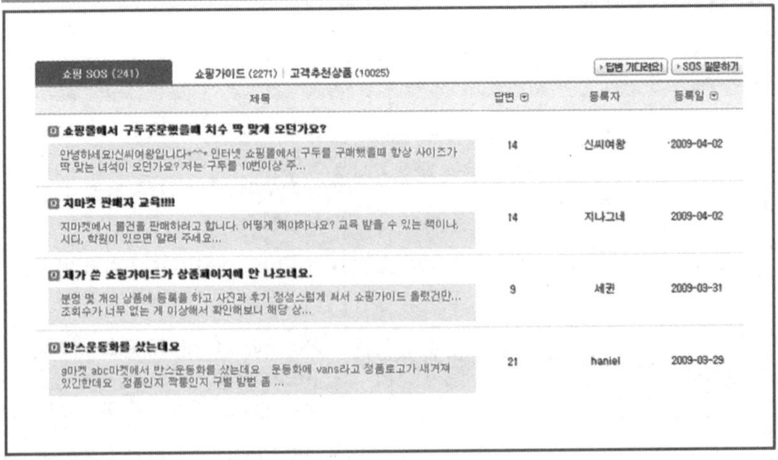

쇼핑 SOS (241) | 쇼핑가이드 (2271) | 고객추천상품 (10025) | 답변 기다려요! | SOS 질문하기

제목	답변	등록자	등록일
쇼핑몰에서 구두주문했을때 치수 딱 맞게 오던가요? 안녕하세요!신씨여왕입니다*^^* 인터넷 쇼핑몰에서 구두를 구매했을때 항상 사이즈가 딱 맞는 녀석이 오던가요? 저는 구두를 10번이상 주...	14	신씨여왕	2009-04-02
지마켓 판매자 교육!!!! 지마켓에서 물건을 판매하려고 합니다. 어떻게 해야하나요? 교육 받을 수 있는 책이나, 시디, 학원이 있으면 알려 주세요...	14	지나그네	2009-04-02
제가 쓴 쇼핑가이드가 상품페이지에 안 나오네요. 분명 몇 개의 상품에 등록을 하고 사진과 후기 정성스럽게 써서 쇼핑가이드 올렸건만... 조회수가 너무 없는 게 이상해서 확인해보니 해당 상...	9	세귄	2009-03-31
반스운동화를 샀는데요 g마켓 abc마켓에서 반스운동화를 샀는데요 운동화에 vans라고 정품로고가 새겨져 있긴한데요 정품인지 짝퉁인지 구별 방법 좀 ...	21	haniel	2009-03-29

고객 활용의 경우 고객 상호간에 질문과 답변을 할 수 있는 장을 마련해준다. G마켓은 쇼핑SOS 게시판을 통해 고객상호간 질문과 답변을 할 수 있는 장을 운영하고 있다. 이를 통해 G마켓은 콜센터로 문의가 들어오는 전화를 줄임으로서 콜센터 인건비를 줄일 수 있다.

제 12 부
G마켓의 5대 성장전략과 진화방향

포인트

- G마켓의 카테고리 및 시장확대를 통한 성장, 광고 수익원 개발을 통한 수익 확보, 가격결정 다양화를 통한 성장촉진, 고객 획득 및 유지하는 5대 전략을 확인한다.
- G마켓이 쇼핑포탈로 진화하려는 방향을 이해한다.

제 12 부 G마켓의 5대 성장전략과 진화방향

01 G마켓의 5대 성장전략을 파악하라

02 전략 카테고리의 단계적 육성을 통해 성장한다

03 새로운 시장의 개척을 통해 성장한다

04 새로운 수익원 개발을 통해 이익을 창출한다

05 가격 결정의 다양화를 통해 성장을 촉진한다

06 브랜드 파워의 강화를 통해 고객을 확대한다

07 G마켓은 쇼핑 포탈로 진화 중이다

01 G마켓의 5대 성장전략을 파악하라

쇼핑몰 운영자들은 어떻게 하면 G마켓 처럼 잘 나가는 쇼핑몰이 될 수 있을까를 항상 고민한다. G마켓을 앞지르기 위해서는 G마켓이 어떤 전략방향을 가지고 움직이는가를 이해하는 것이 그 출발점이다.

"가장 싸게 살 수 있는 인터넷 시장, G마켓'이라는 쇼핑 슬로건을 사업 초창기에 사용하였다. 고객에게 제공하는 핵심 가치를 싼 가격으로 포지셔닝하여, 사업을 성장시킨 후 "새로운 세상을 여는 문, G마켓"으로 쇼핑 슬로건을 변경하였다.

G마켓 5대 성장 전략

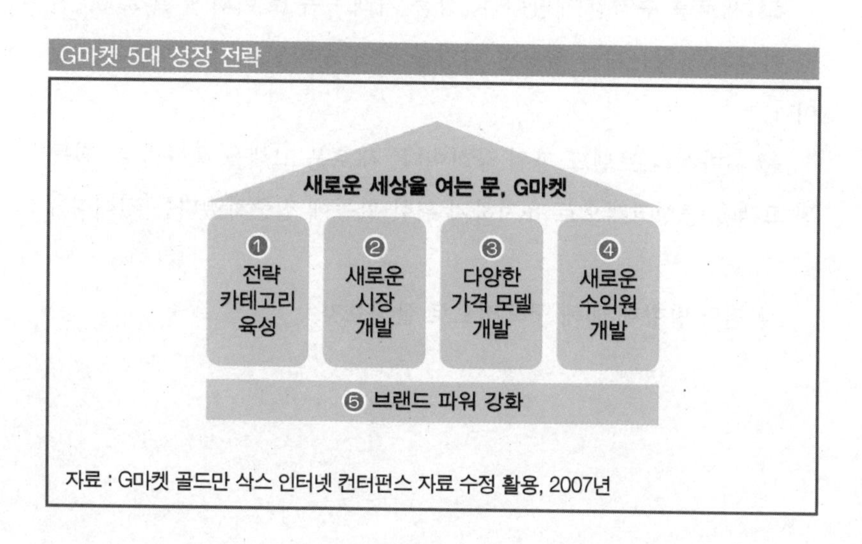

자료 : G마켓 골드만 삭스 인터넷 컨터펀스 자료 수정 활용, 2007년

싼 가격의 쇼핑몰에서 트렌드를 리더하는 쇼핑몰로 포지셔닝 방향을 변경하려는 움직임으로 이해할 수 있다. 골드만 삭스 인터넷 컨퍼런스 등을 통해 G마켓의 재포지셔닝 실현 전략은 5가지로 요약할 수 있다.

❶ 전략 카테고리 육성이다. 향후 성장 가능성이 높은 카테고리를 선택하여 자원을 집중 투입하겠다는 것이다.

❷ 새로운 시장 개발이다. 잠재 시장, 해외 시장 등 G마켓을 이용하는 고객을 확대하겠다는 것이다.

❸ 다양한 가격 모델 개발이다. 쇼핑에서 가격은 고객이 구매 결정 시 항상 고려하는 KBF (Key Buying Factor) 이다. 다양한 가격이 결정되어, 가격부담을 줄여주는 쇼핑 플랫폼으로 계속 진화하겠다는 것이다.

❹ 새로운 수익원 개발이다. 상품 거래 수수료 이외에 일 2,600 천명 이상되는 방문자를 활용한 다양한 광고 수익원을 개발하겠다는 것이다.

❺ G마켓의 브랜드 파워 강화이다. 새로운 고객을 획득하고, 획득된 고객을 충성고객으로 유지하기 위한 활동에 집중하겠다는 것이다.

각 전략 방향에 대해 구체적으로 살펴보자.

02

전략 카테고리의 단계적 육성을 통해 성장한다

G마켓은 성장성이 높은 카테고리를 통해 단계적인 성장을 추구하고 있다.

G마켓의 전략 카테고리 육성

전략 방향	주요 내용
전략 카테고리 육성	• 성장 잠재력 높은 전략 카테고리의 시장점유율 20% 이상 되도록 육성 – 생활, 가구, 건강, 식품, 도서, 디지털 컨텐츠 상품, 여행 • 리더십 유지 카테고리 – 패션, 컴퓨터, 전자제품

가수 이 효리를 통해 패션 상품을 리더십 카테고리로 확실히 육성한 G마켓은 향후 성장 잠재력이 높은 ❶ 생활, 가구, 건강 ❷ 식품 ❸ 도서, 컨텐츠 상품 ❹ 여행 카테고리를 시장점유율 20%이상 될 수 있도록 육성한다는 전략이다.

G마켓이 집중 육성할 전략 카테고리

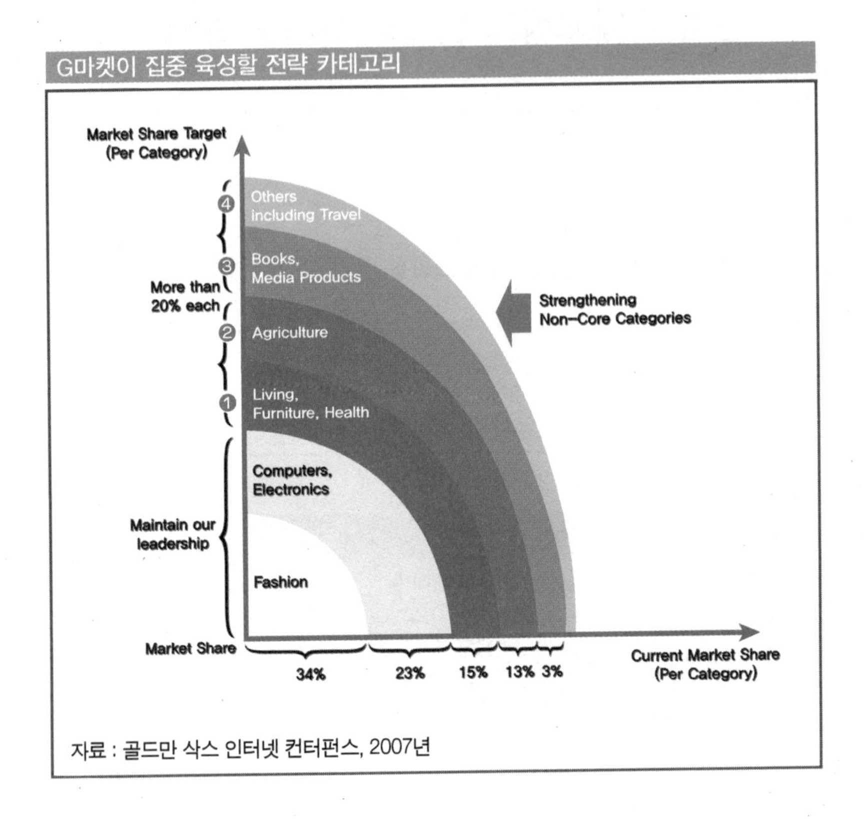

자료 : 골드만 삭스 인터넷 컨터펀스, 2007년

현재 시장 점유율면에서 20% 이상을 차지하는 패션, 컴퓨터 및 전자제품은 마켓 리더십을 유지한다. 반면 현재 시장 점유율 20% 미만의 카테고리는 단계적으로 우선순위를 정해서 마켓 리더십을 높여나갈 계획이다.

예를 들면, 식품 카테고리의 경우 농협중앙회, 지역특산물, 농수산홈쇼핑, 이마트 등 신뢰성이 있는 식품유통 사업자와 제휴를 맺어 카테고리 강화에 주력하고 있다.

03

새로운 시장의 개척을 통해 성장한다

카테고리 육성을 통한 성장 외에 또 하나의 성장 축으로 시장을 확대하여 성장하는 방법이 있다. G마켓은 새로운 시장 개발을 위해 4가지의 전략 과제를 실행하고 있다.

G마켓의 새로운 시장의 개발

전략 방향	주요 내용
새로운 시장의 개발	• 서비스 상품 시장 개발 – 레스토랑, 미용실 등 e쿠폰 상품 • 디지털 컨텐츠 상품 시장 개발 – VOD영화, 교육, 요리법 등 동영상 상품 • 모바일 커머스 사업 진입 • 해외 시장 개발 – 60여 개국 해외 거주 고객에게 국내 상품 배송 – 해외 판매자 유치로 국내 고객에게 해외 상품 배송 – www.gmarket.co.jp 운영

우선, 서비스 상품 시장을 개발하고 있다. 외식, 공연, 레저 등을 할인가격으로 이용할 수 있는 e쿠폰 상품으로 새로운 시장을 개발하고 있다.

G마켓의 e쿠폰 입점 브랜드

둘째, 디지털 컨텐츠 상품 시장을 개발하고 있다. 영화/VOD, e북, 만화, 잡지, 생활 강좌, 벨소리, MP3 음악 다운로드, 게임, 오디오북 다운로드, 운세 등 다양하게 개발하여 새로운 시장을 개발하고 있다. 특히 생활 강좌와 같은 디지털 컨텐츠 상품은 향후 동영상 컨텐츠가 요구되는 IPTV 시대가 본격 진행되면 훌륭한 자원이 될 것이다.

G마켓의 디지털 컨텐츠 상품

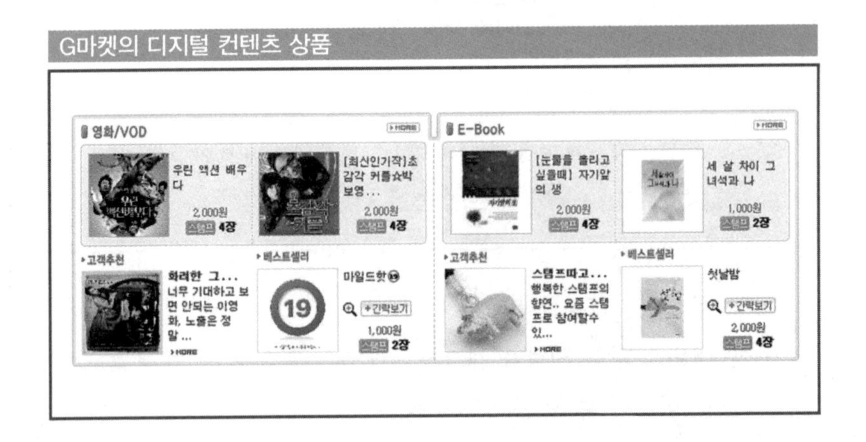

셋째, 새로운 쇼핑 채널인 모바일 커머스 시장을 개발하고 있다. 향후 언제, 어디서나 쇼핑할 수 있는 유비쿼터스 쇼핑 시대의 핵심 채널로 이동통신 사업자와 제휴하여 모바일 커머스 사업을 운영하고 있다.

G마켓의 모바일 커머스 사업

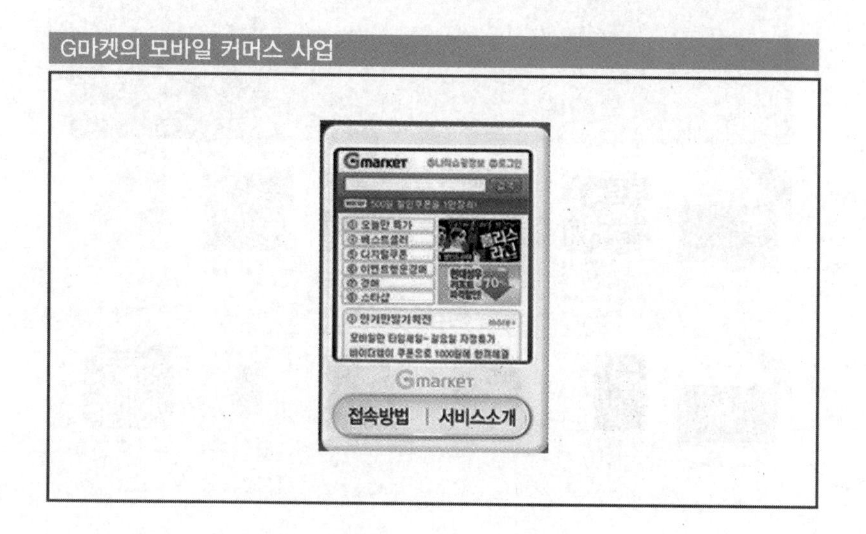

향후 모바일 인터넷 이용의 정액제, 검색 편의성 등 이용 환경이 개선되면 새로운 성장 기회가 될 것이다.

넷째, 해외시장 개발을 하고 있다. 우선 60여 해외에 거주하는 고객에게 국내 상품을 배송할 수 있는 사업을 운영하고 있다. 우체국 배송 서비스와 연계하여 해외 거주 고객까지 시장을 확대한 사례이다.

해외 국가별 G마켓 이용 인기 상품

또한 미국 및 일본을 중심으로 판매자를 입점시켜 국내 거주 고객이 해외상품을 구매할 수 있도록 사업을 운영을 하고 있다. 일종의 위즈위드 같은 구매대행 서비스 사업모델이다.

그리고 G마켓은 국내에 쌓은 노하우를 바탕으로 일본 시장에 진출하여 성장을 가속화 하고 있다.

G마켓의 www.gmarkrt.co.jp

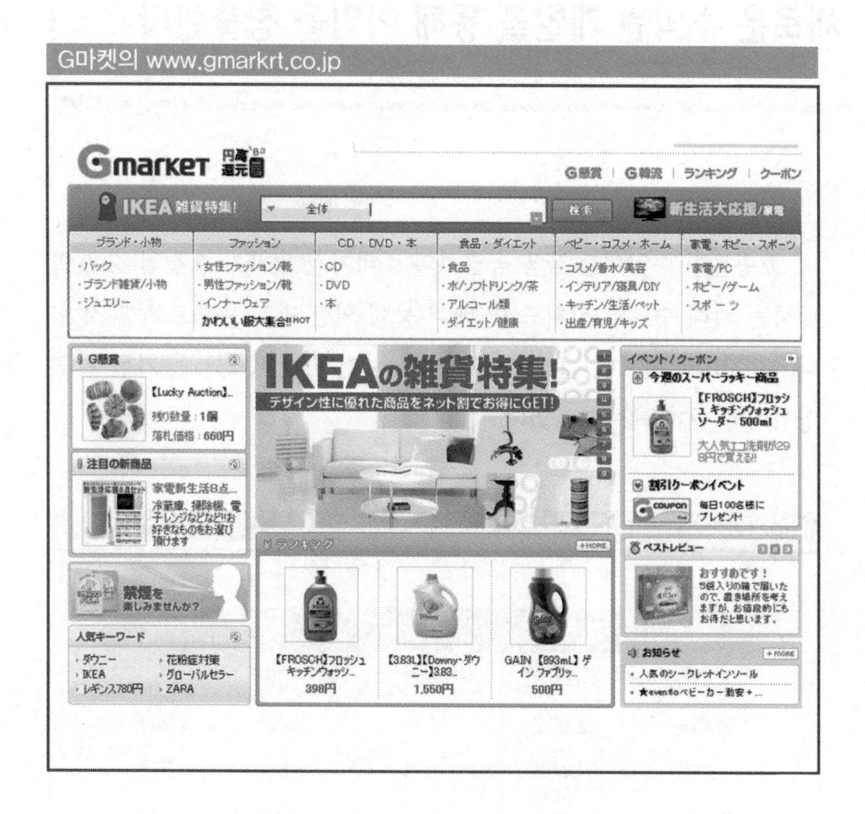

전체적인 몰의 UI(User Interface) 레이아웃, 카테고리 분류 및 상단 메뉴 등을 한국의 G마켓과 일관된 컨셉으로 운영하고 있다. 향후에는 중국, 미국 등 해외시장 진출을 지속 추진하여 글로벌 기업으로 성장하겠다는 전략을 가지고 있다.

04

새로운 수익원 개발을 통해 이익을 창출한다

쇼핑몰의 수익원은 상품 공급자와 소비자간 거래가 체결될 경우 발생하는 거래 수료와 키워드 및 배너 등에 의한 광고 수수료 두가지 이다. G마켓은 2008년 실적에서 거래액은 전년 대비 23% 증가한 반면 영업이익 증가율은 87% 였다.

G마켓의 경영성과 추이

(단위:억원)

구분	거래액	증가율	영업이익	증가율
2005년	10,809	–	36	–
2006년	22,682	110%	142	294%
2007년	32,486	32%	265	87%
2008년	39,859	23%	496	87%

자료: 아이뉴스 24, 2009. 2. 25

거래액 증가율보다 높은 영업이익 증가율은 G마켓의 새로운 광고 수수료 수익원 개발 전략의 실행 결과로 해석할 수 있다.

G마켓의 새로운 수익원 개발

전략 방향	주요 내용
새로운 수익원 개발	• 기존 수익원 – 거래에 의한 수수료 수입 – 광고 수입원: 프리미엄 등 등록 수수료, 키워드 수수료 • 광고 수익원 추가 개발 – 키워드와 연계한 배너 광고 – 경매 입찰하기와 연계한 노출 광고 • 제휴 마케팅에 의한 수익원 개발 – 오버추어 링크 광고 – 공동 브랜드 신용카드 발급

G마켓은 기존 수익원 이외에 키워드와 연계한 배너광고 등 광고 수익원을 추가 개발해 나가는 전략을 추진하고 있다. 또한 오버추어

G마켓의 광고 및 기타 매출 비중

(단위:억원)

구분	수수료 매출액	증가율	광고 및 기타 매출액	증가율	광고 및 기타 매출액 비중
2005년	568	–	136	–	19%
2006년	992	75%	549	304%	36%
2007년	1,303	31%	926	69%	42%
2008년	1,522	17%	1,265	37%	45%

자료: 아이뉴스 24, 2009. 2. 25

링크 광고 등 다양한 제휴 마케팅에 의한 수익원도 개발하여 광고 수수료 수입을 지속적으로 늘려 나간다는 전략이다.

2008년 광고 및 기타 매출액이 전체 회계 매출액에서 차지하는 비중을 보면 45% 로 지속적으로 증가하고 있음을 알 수 있다. 이렇게 광고 수수료 비중을 높여 나가고 있는 G마켓은 오픈마켓 사업모델에서 광고 수입을 늘려나가는 쇼핑 포탈로 사업모델 진화를 추진하고 있다.

05

가격 결정의 다양화를 통해 성장을 촉진한다

쇼핑에서 가격은 저렴해야 한다. 쇼핑몰 이용 고객 대상으로 설문을 해보면, 쇼핑몰 선택시에 중요하게 고려하는 요소에 항상 가격이 우선이다. G마켓은 최소의 비용으로 쇼핑할 수 있도록 다양한 가격 결정 모델을 사용하고 있다.

고정가격에서는 一物多價 (one product, multi price)로 판매자간에 가격경쟁을 해서, 고객이 가장 저렴하게 판매하는 상품을 구매할 수 있도록 한다.

G마켓의 다양한 가격 결정 모델

전략 방향	주요 내용
다양한 가격 결정 모델 개발	· 고정 가격 · 옵션 가격 · 공동구매가격 · 흥정가격 · 경매가격

옵션가격은 본품을 구매하고 부분품은 필요한 것만 고객이 구매할 수 있도록 하여, 쇼핑 비용을 최적화 시켜주는 것이다.

공동구매가격은 공동구매 코너에 있는 상품에 적용되는 가격이다. 보통 신상품을 출시할 경우, 빠른 시간에 많은 고객을 확보하기 위해 저렴한 가격으로 판매하기 위해 운영되는 코너이다. 구매자 입장에서는 신상품을 저렴한 가격에 구매할 수 있고, 판매자 입장에서는 신상품의 시장반응을 즉시에 확인할 수 있다.

흥정가격은 구매자가 고정가격의 4~5% 정도 할인을 판매자에게 요청하여, 성사가 되면 흥정된 가격으로 구매할 수 있는 것이다.

경매가격은 행운경매, 천원경매, 일반경매가 있다. 행운경매는 랜덤으로 추출되는 당첨가격을 맞추거나, 당첨가격에 가까운 높은 입찰자에게 낙찰되는 방법이다. 천원경매는 시작가격을 천원으로 하여 입찰자에게 낙찰되는 방법이다. 경매에 입찰한 고객들은 희망하는 최소가격으로 낙찰 받을 수 있다.

이처럼 G마켓은 최저 가격으로 구매할 수 있는 다양한 가격 결정 모델을 통해 성장의 가속도를 높이고 있다.

06

브랜드 파워의 강화를 통해 고객을 확대한다

브랜드 파워는 고객획득 (Customer Acquisition) 활동과 고객유지 (Customer Retention) 활동으로 구분해서 파악 해야 한다. 쇼핑몰을 이용하는 고객을 대상으로 브랜드 파워에 대한 조사를 해보면, 최초상기도 1위는 최근 몇 년 동안 G마켓이 차지하고 있다. 최초상기도는 미래의 시장점유율을 예측할 수 있을 만큼 중요한 브랜드 인지도 평가 지표이다.

G마켓이 브랜드 파워 강화를 위해 하고 있는 주요 활동을 살펴 보자. 우선 고객 획득을 위해 후원 쇼핑 및 스타샵을 강화하고 있다.

G마켓의 브랜드 파워 강화

전략 방향	주요 내용
브랜드 파워 강화	· 후원 쇼핑 및 스타샵의 강화 · 로열티 프로그램 및 제휴카드 운영

후원 쇼핑은 후원 상품을 고객이 구매할 때 마다 100원씩 적립되어 어려운 이웃이나 난치병 어린이 등 사회의 발전에 도움이 되는 후원금으로 사용된다. 후원 쇼핑은 고객이 쇼핑활동을 통해 다른 사람을 도울 수 있는 기회를 가질 수 있고, 이를 통해 G마켓은 사회적 책임을 수

행하는 기업으로 브랜드를 키워 나갈 수 있다. 가능하면 고객은 사회를 따뜻하게 만드는 G마켓을 이용할 가능성이 높은 것이다.

G마켓의 후원 쇼핑

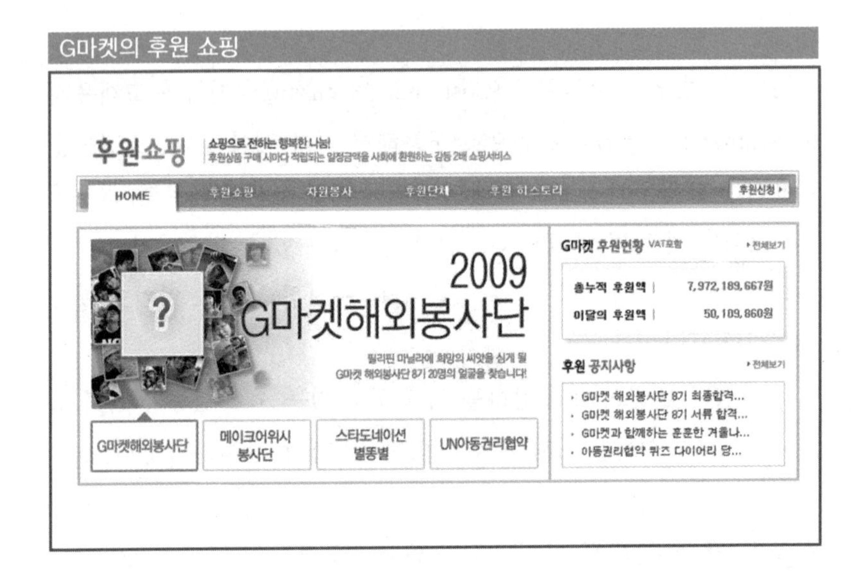

스타샵은 패션을 리더하는 유명 연예인이 추천하는 상품 매장을 운영함으로서 스타 따라하기를 좋아하는 젊은 층 고객을 획득하는데 활용하고 있다. 이렇게 함으로써 G마켓은 유행과 트렌드를 리더하는 브랜드 파워를 강화하고 있다.

우리는 G마켓이 브랜드 파워를 높여서 고객을 획득하기 위한 방법으로 후원 쇼핑과 스타샵에 집중하는 것을 주목해야 한다. 이는 고객 획득에 효과적인 마케팅 방법이 사회에 공헌하는 기업과 스타 활용 마케팅임을 알 수 있다.

G마켓의 스타샵

고객 유지를 위해서는 로열티 프로그램과 제휴카드에 주력하고 있다. 로열티 프로그램은 직접방문 고객 우대 매장, 단골 및 VIP 고객 전용 매장 운영을 통해 충성고객을 유지하는 것이다. 또한 은행 및 신용카드사와 G마켓이 제휴카드를 발급하여 G마켓을 이용할 때마다 다양한 할인혜택을 제공함으로서 고객을 유지하고 있다.

07

G마켓은 쇼핑 포탈로 진화 중이다

새로운 세상을 여는 문! 과연 어떤 문일까? G마켓은 쇼핑에 새로운 세상을 여는 관문 즉 쇼핑 포탈로 진화하고 있다고 판단된다. 쇼핑 포탈은 동일 상품의 가격비교 기능, 쇼핑에 도움이 되는 리뷰 정보 등 컨텐츠, 다양한 상품 카테고리를 보유해야 한다. 이를 통해 수익원이 상품 거래 수수료 뿐만 아니라 다양한 광고 수수료 수입이 많아 지게 된다.

G마켓은 쇼핑포탈로의 진화 가능 영역에 꾸준히 사업의 기반을 만들어 가고 있다.

G마켓의 쇼핑 웹진의 주요 구성

구분	코너 명	주요 내용
카테고리별 쇼핑 웹진	스타일업 쇼핑 가이드	패션/뷰티 디지털가전
	센스 100단 살림 가이드	리빙/식품 출산/육아
	톡톡튀는 생활 가이드	스포츠/자동차 도서/여행/문화
고객간 질문과 답변	쇼핑 SOS	답변 기다려요! 새로 올라온 답변!

우선 상품 정보 역량을 키우기 위해서 블로거 형태의 쇼핑 웹진을 육성하고 있다. 쇼핑 웹진은 상품 카테고리별로 스타일업 쇼핑 가이드, 센스 100단 살림 가이드, 톡톡튀는 생활 가이드가 있다.

프로 리뷰어라고 불리는 쇼핑 웹진 운영자에게는 웹진 활동에 따라 8등급으로 구분하여 블로그내 등급 아이콘 부여 및 G스탬프, 상품권 등 인센티브를 제공하여 지속적으로 쇼핑에 도움이 되는 양질의 컨텐츠가 생산되도록 하고 있다.

G마켓의 베스트 쇼핑 가이드 중 일부 내용

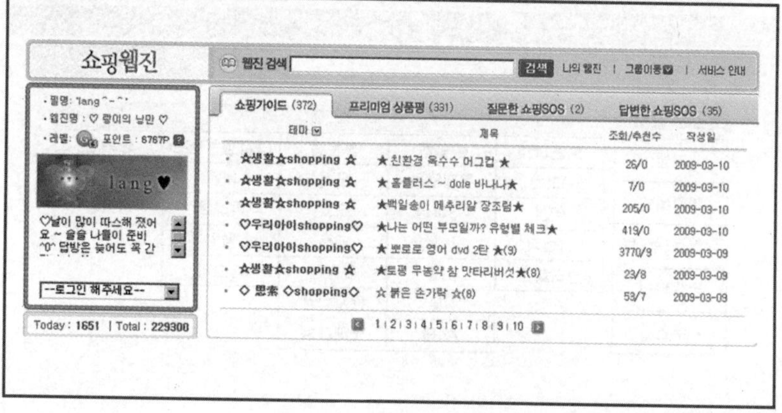

G마켓내에는 현대홈쇼핑의 H몰, 농수산홈쇼핑, 애경백화점의 AK몰 등 종합몰이 입점하고 있다. 이러한 종합몰의 G마켓내 입점 현상은 G마켓이 쇼핑포탈로서 방문자에 대한 파워를 가지기 때문이다.

또한 G마켓은 전문몰 영역인 도서, 티켓, 여행, 구매대행 등의 영역으로 카테고리를 지속 확대하고 있다. 최근에는 선물가게, 아트마켓, 캐릭터 샵 등을 오픈하면서 팬시상품 전문몰 영역까지 확대하고 있다. 또한 게임, 이러닝, 벨소리 등 디지털 컨텐츠 영역을 육성하고 있으며, 카멤버스와 제휴를 통해 자동차 영역까지 지속적으로 확대를 하고 있다.

G마켓은 쇼핑관련 사업분야에서 게이트 웨이 사이트인 상품 전문정보 제공 분야, 종합몰의 입점, 전문몰 및 디지털 컨텐츠 영역으로 확대하고 있다. 또한 법률적 문제의 미해결로 인터넷에서 거래는 할 수 없지만 중고차 리스팅 서비스 영역도 시작하고 있다.

쇼핑 관련 사업 영역

쇼핑정보	쇼 핑				
포탈	오픈마켓	종합몰	전문몰	디지털컨텐츠	중개형
가격비교	G마켓	롯데닷컴	도서	게임	부동산
상품전문정보	옥션	GS이숍	티켓	이러닝	중고차
커뮤니티	11번가	디앤샵	패션	음악	
뉴스	인터파크	CJ몰	화장품	벨소리	
		H몰	팬시상품		
		AK몰	구매대행		

지금까지 G마켓 성장전략과 이를 통해 쇼핑 관련 사업분야의 역량을 갖추어서 쇼핑포탈로 진화하고 있는 G마켓의 모습을 살펴 보았다.

제 13 부
G마켓이 고객에게 더 다가갈 수 있는 미니 컨설팅

포인트

- 지금까지 살펴본 쇼핑몰 성공전략의 방법을 가지고 G마켓의 현상을 컨설팅하는 방법을 이해한다.
- G마켓도 고객에게 더 다가 갈 수 있는 여지가 있음을 확인하고, G마켓을 앞지를 수 있는 아이디어도 구할 수 있다.

제 13 부 G마켓이 고객에게 더 다가갈 수 있는 미니 컨설팅

01 G마켓도 더 잘 팔 수 있는 7가지 방법이 있다

02 신뢰성을 더 높일수 있도록…

03 메인 페이지를 2장으로…

04 소분류 매장을 더 찾기 쉽게…

05 키워드 검색 결과 품질 더 좋게…

06 무이자 혜택 더 잘 보이게…

07 상품 페이지에 배송 소요일 표시 되게…

08 함께 쇼핑하기 기능에 문자로도 정보전달 되게…

01

G마켓도 더 잘 팔 수 있는 7가지 방법이 있다

G마켓이 지금 보다 더 잘 팔 수 있는 방법은 무엇일까? 지금까지 살펴본 인터넷 쇼핑몰 성공전략에 대한 내용을 토대로 해서 G마켓이 더 잘 팔 수 있는 7가지 방법을 제안한다.

G마켓이 더 잘 팔 수 있는 7가지 방법

구분	제안 내용
1	신뢰성을 더 높일 수 있는 정책을 도입함
2	메인 페이지를 2장으로 운영함
3	소분류 매장을 더 찾기 쉽게 개선함
4	키워드 검색 결과 품질을 더 좋게 개선함
5	상품 페이지에 무이자 혜택이 더 잘 보이게 함
6	상품 페이지에 배송 소요일을 알려줌
7	함께 쇼핑기능에 문자로 정보전달할 수 있게 함

내용은 쇼핑몰의 이미지 포지셔닝에 관한 신뢰성, 몰의 경쟁력을 더 높일 수 있는 메인 페이지, 찾기 쉬운 매장, 검색 결과 페이지 품질 등 7가지 포인트에 대해 자세히 설명해 보자.

02

신뢰성을 더 높일수 있도록…

쇼핑몰 이용 고객 대상으로 한 설문 결과나 쇼핑을 이용하는 사람들에게 자주 들을 수 있는 이야기가 G마켓에서 판매되는 상품 품질과 반품 등 사후 서비스에 대한 불안감이다. 그래서 3만원 이하의 저단가 상품이나 반품을 하지 않아도 견딜 수 있는 가격대의 상품을 구매하는 경향이 있다. 또한 간간히 터져나오는 오픈마켓에 관한 좋지 않은 기사들이 신뢰성을 깍아 내리고 있다.

G마켓이 신뢰성을 높일 수 있는 방법

구분	주요 내용
기존 서비스	• 판매자 신용 등급제 • 서비스 우수 판매자 등급제 • 판매자 가게에 직접 방문하여 수령하는 제도 • 반품 수거 전담 택배사 운영
신규 서비스 정책 (예시)	• 짝퉁 상품에 대한 보상제 • 불량 식품에 대한 보상제 • 불량 식품에 대한 무료 반품제
커뮤니케이션 방법 (예시)	• 쇼핑 웹진 등 고객의 상품 체험 내용을 꾸준히 홍보함 • 직접 방문 수령 등 신뢰성 형성이 가능한 서비스 꾸준히 홍보함 • 명품 잡화, 식품 등 신뢰성에 영향을 주는 상품 카테고리 중심으로 진정성과 안전성을 꾸준히 홍보함

신뢰성 형성은 G마켓의 서비스 정책이나 쇼핑몰 운영 내용을 부각하여 꾸준히 커뮤니케이션 해 나감으로서 가능하다. 즉 신뢰감을 높일 수 있는 대고객 서비스 정책을 도입하고, 고객과의 커뮤니케이션을 전략적으로 지속 추진해 나가는 방법을 제안한다.

롯데닷컴 등 종합몰이 가지고 있는 강점이 신뢰인데, 이 신뢰의 형성은 고객이 상품 구매 후 해결 해야 할 문제가 발생할 경우 종합몰에서 고객을 관리해 주는 서비스 정책이 있기 때문이다.

따라서 G마켓은 고객이 쇼핑 할 때 신뢰성을 많이 고려하는 명품 등 상품군에 대해 G마켓이 책임지고 고객을 보호해 줄 수 있는 서비스 정책을 도입해야 한다. 예를 들면, 짝퉁상품, 불량 식품에 대한 보상제, 불량 상품 무료 반품제 등을 생각해 볼 수 있다.

신뢰성 이미지 형성을 위해 꾸준한 커뮤니케이션도 중요하다. 식품, 명품 등 집중 관리 카테고리를 정해서 쇼핑 웹진을 통해 상품 체험 내용을 꾸준히 홍보한다. 또한 오프라인 점포를 방문하여 직접 수령하는 서비스를 홍보하여 신뢰감을 쌓아 나가는 방법을 생각해볼 수 있다.

03 메인 페이지를 2장으로…

주변 사람들이 G마켓에 대해 가지는 불만 중 하나가 상품이 너무 많아서 고르기가 힘들다는 것이다. 상품을 고를 수 있는 편의를 제공하는 방법으로 현재 메인 페이지를 2페이지로 운영하는 것이다. 즉 메인 2를 운영하는 것이다.

G마켓의 메인 페이지 2의 운영 아이디어

운영 컨셉 대안	주요 내용
요일별 Day	원피스 데이, 레깅스 데이 등 요일별 컨셉을 정해 운영
우수 판매자 전용	우수 판매자 육성을 위해 판매자 미니샵 운영
G마켓 브랜드 강화	후원 쇼핑, 스타샵 등 G마켓 브랜드 파워 강화를 위해 운영
전략 카테고리 육성	식품, e쿠폰 등 전략적 육성 카테고리 매장으로 운영

메인 2는 운영 전략에 따라 요일별 Day, 우수 판매자 육성, G마켓 브랜드 강화, 전략 카테고리 육성 등 다양한 컨셉으로 운영할 수 있다. 예를 들면, 요일별 Day 컨셉으로 운영한다면, 월요일은 원피스 데이, 화요일은 레깅스 데이 등으로 메인 페이지 2를 운영할 수 있다. 메인 페이

지를 2원화 컨셉으로 운영하고 있는 사례로는 롯데닷컴이 있다.

롯데닷컴의 경우 롯데닷컴으로 시작되는 메인 페이지와 롯데백화점 매장으로 시작될 수 있는 메인 페이지로 2원화 하여 운영하고 있다. 상품 공급원 기준으로 백화점 상품과 아닌 상품으로 구분하여 운영하고 있다.

백화점 상품에 관심있는 고객은 바로 백화점 매장 페이지로 이동하여 쇼핑할 수 있으므로 편리하다.

롯데닷컴의 메인 페이지 2원화 운영 사례

■ 롯데닷컴의 메인 2 : 롯데백화점 상품 중심

04

소분류 매장을 더 찾기 쉽게…

G마켓은 36개의 카테고리를 42개의 대분류 매장, 약 6,000 여개의 소분류 매장으로 운영하고 있다. 고객 입장에서 G마켓의 소분류 매장 운영에서 2가지 개선점을 제안하고 싶다. 첫째, 상품이 많아 지는 만큼 고객이 쉽게 찾을 수 있도록 소분류 매장을 더 세분화 해야한다. 세분화를 위한 정보 소스 중 하나로 네이버 지식쇼핑의 소분류 매장을 벤치마킹 한다. 네이버 지식쇼핑은 많은 쇼핑몰들의 상품 DB를 받아 운영하기 때문에 상품이 가장 많이 모이는 곳이다. 여기서 소분류 매장을 운영하는 것을 보면 고객들이 많이 찾는 소분류 매장에 대한 추가 아이디어를 얻을 수 있다. 예를 들면, 네이버 여성의류 중 원피스 매장에서 운

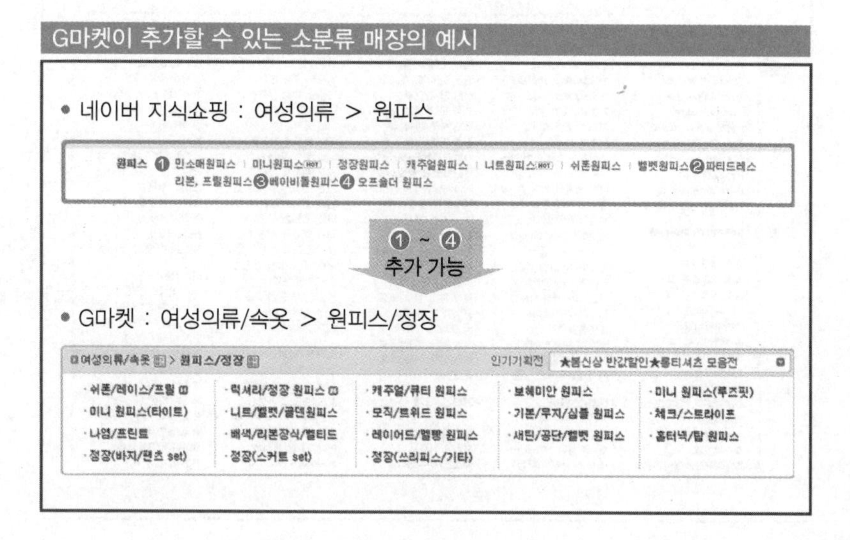

영하는 ❶ 민소매 원피스 ❷ 파티드레스 ❸ 베이비돌 원피스 ❹ 오프숄더 원피스 매장을 G마켓 원피스 소분류 매장에 반영하는 것이다.

둘째, 소분류 매장 배치를 고객이 예측할 수 있는 순서로 배치해서 찾기 쉽게 해야 한다. 매장 순서의 기본 원칙은 ㄱ~ㅎ, A~Z, 0~9 의 순으로 배치해야 한다. 그래야 고객이 예측을 하고 원하는 매장을 쉽게 찾을 수 있다. G마켓의 여성의류 매장에서 ❶ 영문으로 스타일별로 매장을 분류해 놓았다. 여기서는 A~Z순으로 매장을 배치시키는 것이 고객이 더 찾기 쉽다. ❷에서는 ㄱ~ㅎ 순으로 매장을 배치시키는 것이 고객이 더 찾기 쉽다. ❸에서는 숫자로 시작되는 매장은 5부, 7~9부 순으로 해서 하단부분에 배치시키는 것이 더 찾기 쉽다.

G마켓의 소분류 매장 배치 순서 현황

G.Secret(지시크릿)
HOT 정장아이템
❶
- Onepiece/Dress
- Blouse/Shirts
- Trench/Fur/Coat
- Jacket/Jumper
- Knit/Cardigan/Vest
- Tees/Top/Sleeveless
- Skirts/Formal skirts
- Pants/Slacks
- Suit/Formal set
- Premium Jeans

Soho#/Designer#
SALE 봄신상BigSale
- 소호 캐주얼룩
- 소호 오피스룩
- 소호 봄자켓/점퍼
- Soho#다바걸
- Soho#큐니걸스
- Soho#피오나
- Soho#하늘소녀
- Soho#꾸엔
- Soho#더다다
- Soho#앨리스앤조이
- Soho#골무
- Soho#홀리본
- Soho#라엘
- Soho#세븐스에비뉴

티셔츠
❷ HOT 2900원 롱티♬
- 롱/원피스 티셔츠
- 캐릭터/로고/프린트 티
- 루즈핏/박스티셔츠
- 기본/무지/민무늬티
- 기타 라운드 티셔츠
- 브이넥 티셔츠
- 스트라이프/레이어드티
- 쉬폰/레이스/셔링 티
- 후드/맨투맨 티셔츠
- 롱후드/맨투맨 티셔츠
- 커플티/단체티
- 민소매/나시(기본)
- 민소매/나시(롱)
- 민소매/나시(캡내장)
- 민소매/나시(레이스)
- 셔츠카라/카라 티셔츠
- 캡소매/퍼프소매티
- 소매롤업/7부 티셔츠
- 보우트넥/오프숄더 티
- 터틀넥/폴라 티셔츠
- 티셔츠모음/SET상품

니트/스웨터
HOT 니트가디건2900
- 스트라이프 니트
- 롱니트원피스(루즈핏)
- 롱 니트 원피스(터틀)

자켓/점퍼/코트
SALE 연예인집업SALE
- 테일러드/숄카라 자켓
- 인조 가죽/퍼/무스탕
- 천연 가죽/모피
- 모직 자켓/코트
- 후드 자켓/점퍼
- 집업 자켓/점퍼
- 사파리/야상자켓/코트
- 트렌치코트/원피스형
- 미니/숏/볼레로 자켓
- 7부/크롭/롤업 소매
- 하프 자켓/코트
- 청 데님 자켓/점퍼
- 기타 캐주얼 자켓/점퍼
- 차이나/노카라 자켓
- 트위드/하운드투스
- 체크 자켓/점퍼/코트
- 알파카 자켓/코트
- 퍼 트리밍/탈부착
- 누빔/패딩 자켓/코트
- 벨벳/골덴 자켓/코트
- 롱코트

가디건/조끼
HOT 가디건6900
- 하프/롱 가디건
- 브이넥 가디건
- 라운드/U넥 가디건

원피스/정장
SALE 쉬폰원피스♥
- 쉬폰/레이스/프릴
- 럭셔리/정장 원피스
- 캐주얼/큐티 원피스
- 보헤미안 원피스
- 미니 원피스(루즈핏)
- 미니 원피스(타이트)
- 니트/벨벳/골덴원피스
- 모직/트위드 원피스
- 기본/무지/심플 원피스
- 체크/스트라이프
- 나염/프린트
- 배색/리본장식/벨티드
- 레이어드/멜빵 원피스
- 새틴/공단/벨벳 원피스
- 홀터넥/탑 원피스
- 정장(바지/팬츠 set)
- 정장(스커트 set)
- 정장(쓰리피스/기타)

스커트/치마
HOT 사랑리쉬폰치마
- 모직/캐시미어스커트
- 실크/새틴 스커트
- 쉬폰/레이스 스커트
- 미니스커트(일반)
- 미니스커트(플리츠)
- 청치마(미니)

청바지/진
HOT 특가 스키니!
- 스키니(청/데님)
- 스키니(블랙/그레이)
- 스키니(컬러/면스판)
- 데님 레깅스
- 일자 청바지
- 빈티지/구제 청바지
- 스판부츠컷/나팔청바지
- 일반부츠컷/나팔청바지
- 그레이/블랙진
- 반바지/핫팬츠
- 7~9부/크롭 청바지
- 통/와이드 청바지
- 카고/힙합/멜빵 청바지

바지/팬츠
HOT 오늘만 반값!
- 레깅스/롤바지/기타
- ❸ 5부/반바지/핫팬츠
- 일자 바지
- 배기팬츠/통바지
- 정장 바지
- 부츠컷/나팔 바지
- 7~9부/크롭/린넨팬츠
- 모직/기모 바지
- 패딩/골덴/벨벳 바지
- 치마바지/큐롯팬츠
- 카고 바지

또한 매장 명칭은 영문 보다는 한글로 표기하는 것이 고객들이 찾기가 더 쉽다. 쥬얼리 매장을 영문 표기 방식에서 한글 표기 방식으로 변경하여 고객들로 부터 좋은 반응을 얻은 적이 있다. 고객이 영어로 검색하는 것만 영문매장으로 표기하는 것이 효과적이다.

05

키워드 검색 결과 품질 더 좋게…

G마켓은 키워드 검색 결과 페이지의 품질을 더 높일 수 있도록 개선해야 한다. 키워드 검색을 하면 판매자에게 낙찰된 플러스 등록 상품 8개는 키워드에 해당하는 상품이 나오지만, 그 하단부에 진열되는 전체상품은 키워드에 상관 없는 상품이 첫페이지에 노출되기도 한다. 고객 입장에서는 검색한 키워드와는 상관없는 상품이 리스팅 되므로 당황스럽고, 짜증이 난다.

G마켓의 MP3 키워드 검색 결과 페이지

전체 상품(총31774건) 경매 (141) | 묶음구매 (2) | 글로벌 (47) | 중고재고 (30) 정렬 인기도

선택	상품명	가격	배송비	사은품/할인	구매방식	ID/등급	평가
☐	프리미엄 [DMZ-xo DMZ-xo 2GB MP3플레이어] [선물특가 22500원 2GB MP3]최대 8GB확장 외장스피커 네비게이션 재생중목록보기 MP4 사랑 화이트데이선물 +간략보기	(64,000원) 23,700원	착불(선결제)	쿠폰 1200원 사은품	공동구매 (새상품)	DMZ-xo 파워딜러 • 서비스우수	
☐	[레인콤 iriver E100 Season2 4GB] 아이리버 MP3플레이어 E100 시즌2 (4GB) +간략보기	104,000원	무료	쿠폰 12480원	흥정가능 (새상품)	파나샵 파워딜러	
☐	프리미엄 [Itend VIP2 i-ONE] [2009신형 삼성맵2G MP3 입학개학선물특가!!4G]고품격디자인MP4/화이트데이선물/엠피3/재생중목록보기/개학 +간략보기	(69,900원) 23,900원	착불(선결제)	쿠폰 2000원 239 사은품 100 1	정가구매 (새상품)	ITEND 파워딜러 • 서비스우수	
① ☐	프리미엄 [TOP underwear] ★ 오늘만 5500특가★ 명품 남성드로즈/남자 속옷/무료배송/팬티/일마니 폴체/mp3/ck/나이키아디다스 +간략보기	5,500원	조건부무료	사은품	공동구매 (새상품)	●탑언더웨어™ 파워딜러	
② ☐	프리미엄 [체어인사이드] [하루선착순100명! 쿠폰가18900원] G-플러스백! 느낌이다른 듀얼백의자 /책상 쇼파 소파 mp3 노트북 +간략보기	(38,000원) 21,900원	착불	쿠폰 3000원 사은품	공동구매 (새상품)	체어인사이드 파워딜러	
③ ☐	프리미엄 [현대시트지] ★최저가 2900원★1+1무료배송★ 포인트 그래픽 의자 가구 인테리어 소품 스티커 시트지 벽지 mp3 리폼 +간략보기	(7,000원) 5,000원	무료	쿠폰 2100원 사은품 100	흥정가능 (새상품)	파워딜러 • 서비스우수	

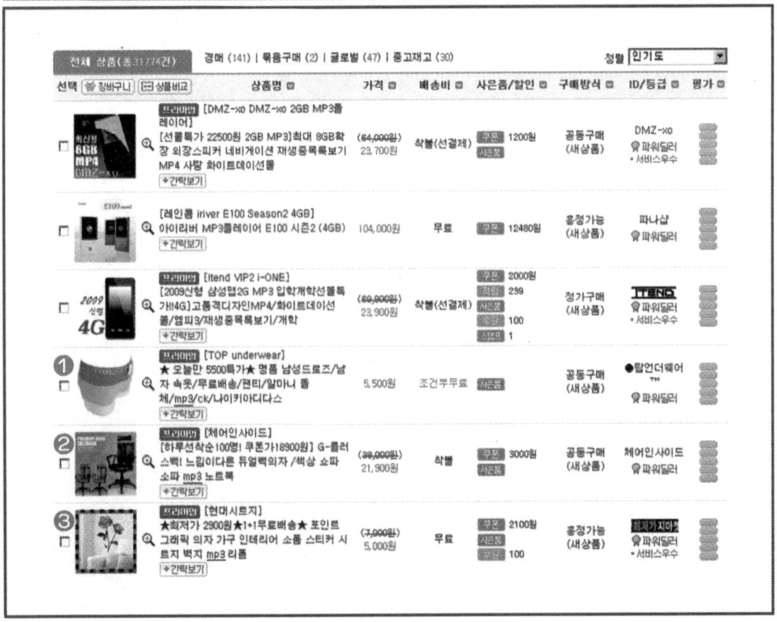

그림은 G마켓에서 MP3 키워드를 검색한 결과 페이지 이다. ❶은 남성속옷, ❷는 듀오백 의자, ❸은 벽지이다. MP3를 검색한 고객 입장에서는 불필요한 상품이 첫 페이지에 리스팅 되는 것이다.

우리는 7부에서 검색 결과 2페이지 까지 집중 관리해야 하는 필요성을 이해하였다. 따라서 키워드로 검색한 고객에게는 키워드에 적합한 상품이 리스팅 될 수 있도록 제도적, 시스템적, 운영적 측면의 개선이 필요하다.

06 무이자 혜택 더 잘 보이게…

G마켓은 대형가전 등 고단가 상품의 경우 무이자 할부 혜택이 부각될 수 있도록 표시 방법을 개선해야 한다. 무이자 아이콘을 사용하여 일시에 큰 금액을 지불하는 부담을 덜어 줌으로서 고객은 더 편안하게 구매를 할 수 있다. 무이자가 적용되는 아이콘은 상품 검색결과

무이자 아이콘 적용사례 비교

■ G마켓 : 무이자 아이콘 없음

프리미엄 [LG전자]
■3일특급[LG물류설치] LG Xcanvas(루나) HD급 32인치 LCD TV 32LG31D(스탠드형(좌우조절))
+간략보기
(1,080,000원) 728,940원 무료
쿠폰 47500원 사은품 후원 100 스탬프 1
공동구매 (새상품)
디지털마트 파워딜러

[LG 42LG30DD]
5일특급배송★명암비 30000:1업그레이드 모델 LCD TV 42LG30DDS 스탠드형
+간략보기
1,095,420원 무료
쿠폰 66500원 사은품 스탬프 1
흥정가능 (새상품)
나눔 파워딜러

■ A쇼핑몰 : 무이자 아이콘 적용

[★★★ LG전자 XCANVAS ★★★]
42PG10DC(스탠드형) ★초이스★LG전자★XCANVAS 42PG10DCS[스탠드형] HD 일체형<인터넷최저가>
★LG물류기사님 서울경기 빠른배송설치★
미리보기 새창
890,000원 쿠폰가 889,900원
쿠폰 100↓ ① 무이자

[LG XCANVAS]
42PG20D(스탠드형(좌우조절)) ★특별판매가★[엑스켄버스] 42PG20D (스탠드형,벽걸이)▶택1◀
★★빠른무료설치배송 / 폐가전무료수거★★
미리보기 새창
898,000원 쿠폰가 897,900원
쿠폰 100↓ 무이자

리스팅 페이지에 나타날 수 있도록 해야 한다. 고객은 리스팅 되는 상품 중에서 무이자가 적용되는 상품을 선택할 수 있기 때문이다.

A쇼핑몰의 ❶ 처럼 무이자 아이콘을 보여줌으로써 고객이 무이자 할부가 제공되는 상품을 선택할 수 있다.

쇼핑몰에서 해외 여행상품을 판매 해보면 고객들이 가장 선호하는 프로모션이 무이자 할부이다. 해외여행 상품의 경우 50만원 이상의 고단가 상품이 대부분인데, 무이자 할부 개월수가 많은 상품이 더 잘 팔린다. 월급 받는 고객들은 비용을 분산 시킬 수 있는 무이자 할부 개월수가 있는 상품을 선호한다.

07 상품 페이지에 배송 소요일 표시 되게…

G마켓은 상품 페이지에 배송 소요일을 알려주는 배송정보를 보완해야 한다. 쇼핑몰에서 구매시 언제까지 기다려야 하는가를 알려 주는 것은 꼭 필요한 배송정보이다. 특히 G마켓이 식품을 전략 카테고리로 선정하여 집중육성하고 있다. 소고기 등 신선식품의 경우 신선한 상태로 상품을 받을 수 있을까라는 의구심을 해결해 주기 위해서는 배송 소요일을 안내 해주는 것이 필요하다.

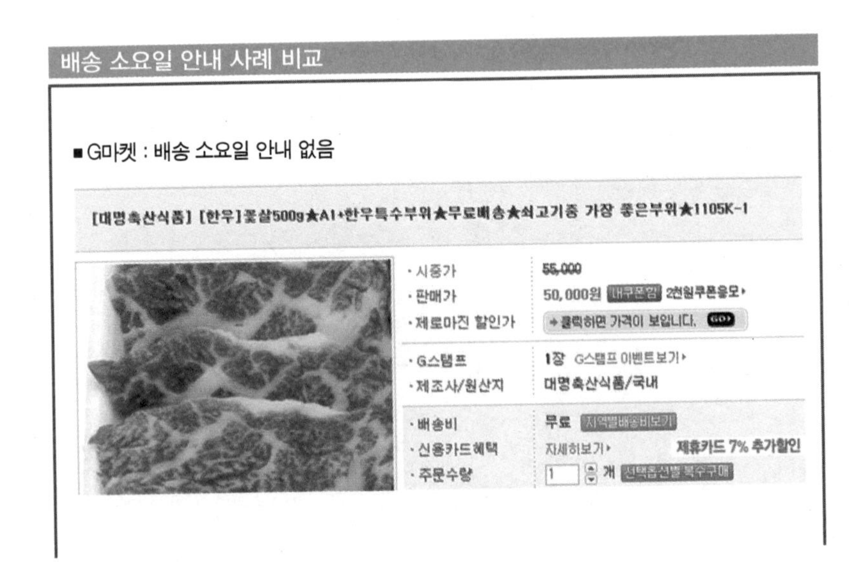

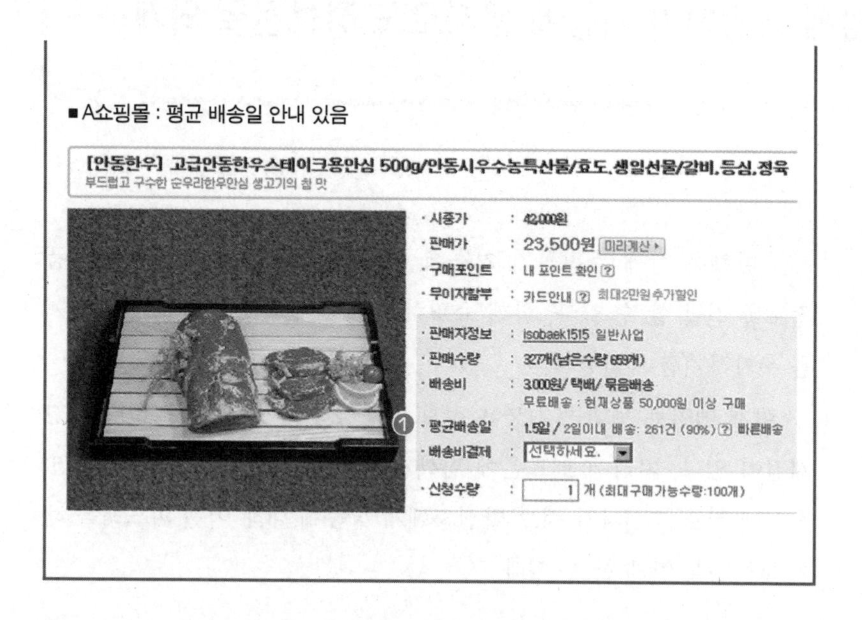

A쇼핑몰의 ❶ 처럼 평균 배송일을 고객에게 안내하여, 소고기가 신선하게 고객에게 배송될 수 있음을 알려 줘야 한다.

08

함께 쇼핑하기 기능에 문자로도 정보전달 되게…

G마켓은 함께 쇼핑하기 기능에 현재 메일로 다른 사람에게 상품 정보를 전달 할 수 있다. 함께 쇼핑하기 기능에 핸드폰에 문자 보내기를 추가하기를 제안한다.

현재 메일로 보내는 기능은 정보 수신자가 즉시에 알 수 없다는 한계점이 있다. 따라서 핸드폰에 함께 쇼핑하기 상품을 문자로 보내면, 즉시에 정보 수신자가 정보 발신자에게 상품에 대해 어떤 피드백을 해야 하는가를 알게 할 수 있다.

G마켓의 함께 쇼핑하기

❶에 '문자 보내기'버턴을 만들어 클릭하면, 오른쪽 핸드폰 화면에서 해당 상품 정보를 보낼 수 있도록 하는 방법이다. 상품 URL(Uniform Resource Locator) 이나 상품코드 번호를 보낼 수 있도록 기능 보완 작업이 필요하다.

이상으로 G마켓이 고객에게 더 다가 갈 수 있는 7가지 아이디어를 제안했다. 이러한 아이디어가 G마켓을 앞지르기를 원하는 다른 쇼핑몰의 경쟁력 향상에도 도움이 되길 바란다.

이 책은 경험과 사례분석을 통해 만들어 졌다. 부분적으로는 일반화 하기 힘든 내용도 있을 수 있다. 건설적인 모든 코멘트를 겸허하게 받아 들이겠다. 이 책에 대한 문의와 제안은 필자의 메일 wkkang11@yahoo.co.kr로 해주시길 바란다.

강완규

경력

- 고려대학교 경영학과 졸업
- 고려대학교 경영학과 석사 (조직 및 경영전략)
- LG경제연구원 및 LG구조조정본부에서 경영컨설팅업무
- GS홈쇼핑 쇼핑몰 GS이숍의 마케팅, 제휴마케팅, 상품영업, 고객서비스 업무
- GS홈쇼핑 인터넷 쇼핑사업 경쟁력 강화 전략과제 개발 업무
- 현재 GS홈쇼핑 전사 및 인터넷 관련 전략 및 기획업무
- (문의: wkkang11@yahoo.co.kr)

인터넷 쇼핑몰 성공전략-G마켓 앞지르기

초판 인쇄 2009년 8월 01일
초판 발행 2009년 8월 10일
저 자 강완규
발 행 인 이범만
발 행 처 **21세기사** (제406-00015호)
경기도 파주시 교하읍 산남리 283-10 (413-834)
Tel. 031-942-7861 Fax. 031-942-7864
E-mail : 21cbook@hanafos.com
Home-page : www.21cbook.co.kr
ISBN 978-89-8468-321-1

정가 15,000원